未来を見る力

人口減少に負けない思考法

河合雅司

Kawai Masashi

PHP新書

2040年の日本のすがた

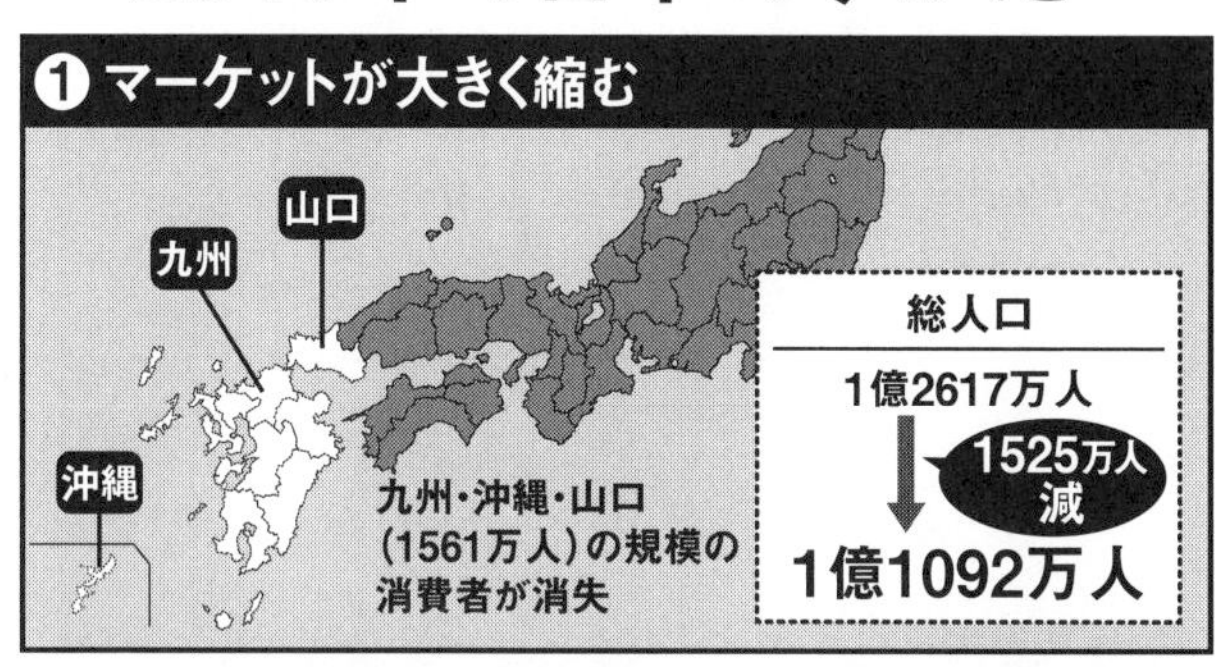

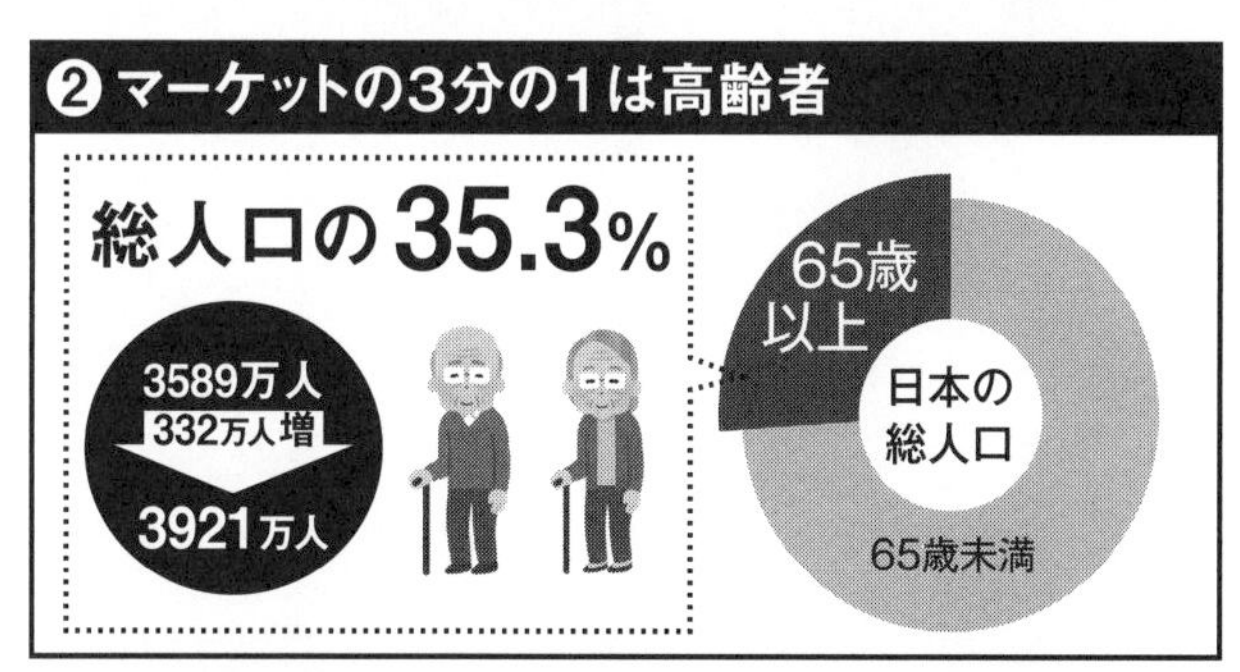

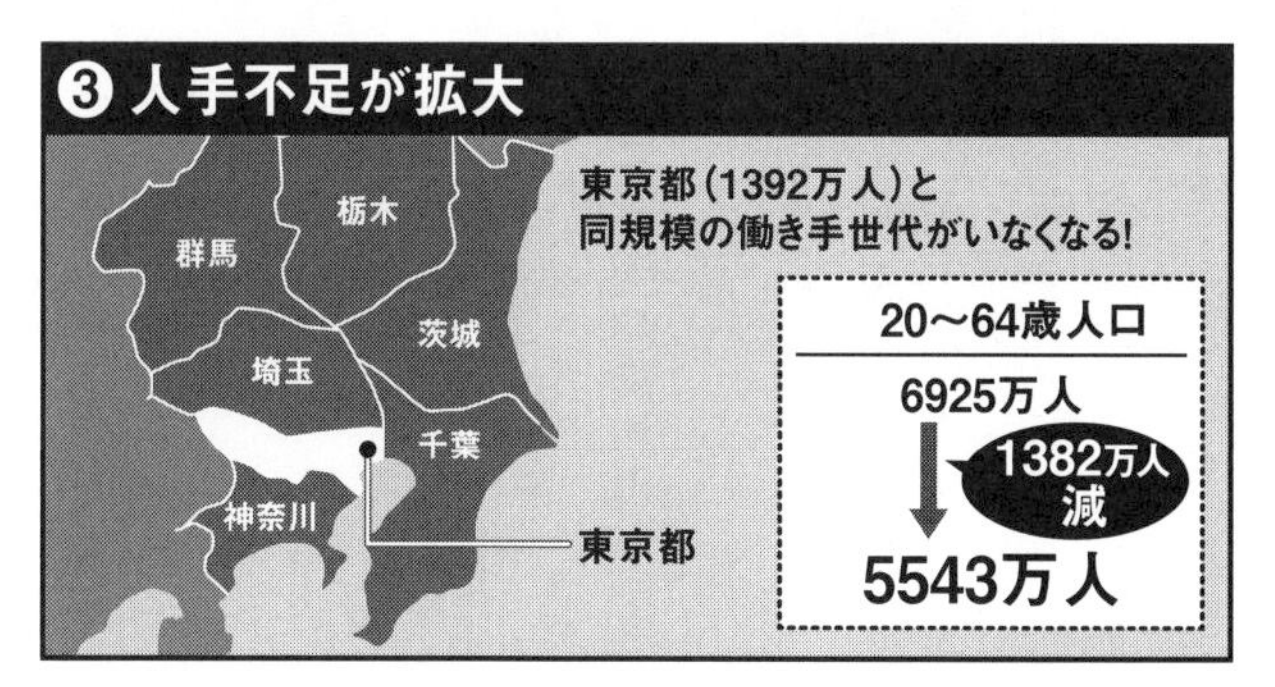

はじめに

これからの日本はどうなっていくのだろうか。最近、若者たちから「日本はもはや衰退していくばかりだ」といった悲観論を聞くことが多くなった。

21世紀も早いもので20年代に突入したが、前世紀と同様、「激動の世紀」となりそうな予感がする。現状においても目を海外に向ければ、米国と中国の覇権争いが激しさを増している。国内にあっては毎年自然が猛威を振るい、東京直下型をはじめとする大地震の懸念が強まっている。

加えて、予期せぬ新型コロナウイルスの感染が拡大した。人々の日常は根底から変わり、経済は世界恐慌と比較されるほどに大きく傷ついた。グローバル化で人やモノが簡単に世界中を往来する時代である。パンデミックは今後も幾度となく起きることだろう。

こうして列挙すると、若者に限らず、日本の行く末に不安を抱く人は多いだろう。

しかしながら、21世紀を展望すると、日本にとっての最大の課題は「人口減少」である。国家の消滅につながる大問題だからだ。それは技術革新や政策で解決する諸課題とは違い、人々の営みの結果である。言い換えるならば、いまを生きる人々が、これからどんな選択をするのかによって日本の未来は大きく変わる。21世紀はそんな岐路にあるのだ。

人口をめぐる変化は、ここ10年ほどで急速に進んだ感があるが、何もしなければ状況は悪化の一途だ。働き手世代が激減するので、社会の麻痺が避けられない。このままいけば、未来の歴史学者が21世紀の日本を振り返るとき「人口激減の時代」と記すことだろう。

少子高齢化や人口減少は今に始まったことではない。本来ならば、すでに「人口減少を前提とした社会へのつくり替え」に取り掛かっており、それなりの成果が見え始めてもよい頃だ。しかしながら、人々の危機感が薄かったこともあり、これまで対策らしい対策は行われてこなかった。そんなタイミングで新型コロナウイルスの感染拡大に巻き込まれたことは「不運」としか言いようがない。国民の関心は感染拡大防止や経済対策に集まっており、さらに人口減少対策が先延ばしにされたら、いよいよ打つ手がなくなってしまう。

われわれは今後どのような状況下に置かれようとも、人口減少という「不都合な真実」から顔を背(そむ)けてはならないのである。

皮肉な話ではあるが、コロナ禍は「人口減少を前提とした社会へのつくり替え」のためのラストチャンスとなるかもしれない。コロナ禍で露呈した課題の解決策の多くは、人口減少対策としても有効だからだ。

例えば、企業の収益モデルの見直しだ。感染防止のために人と人との接触を減らすことが「ニューノーマル」となり消費が大きく消失したが、これは人口減少後の国内マーケットの縮小を想起させる。いわば、人口減少後の日本社会を、われわれは一足早く目撃したようなものである。

各企業はコロナ禍によって失った売上を取り戻すべく躍起となっているが、いずれ国内マーケットが縮むことを考えたならば、いつかは収益モデルを変更せざるを得なくなる。ならば、このタイミングで変えてしまったほうが労力が少なくて済む。

仮にここで「コロナ前」の売上水準を取り戻せたとしても、人口減少が避けられない以上、長くは続かない。

コロナ禍からの社会再建や経済復興は、少子高齢化や人口減少の影響を織り込み、その対応を念頭に置いたものでなければならないということである。

本書は「コロナ後」の日本が人口減少問題にどう取り組むべきなのか、そのために個々人が何をすべきなのかについて考えていく。

その前に国立社会保障・人口問題研究所（社人研）の「日本の将来推計人口」（2017年）

などが描き出す未来図を覗いてみよう。

残念ながら、日本の2020年代は、後世の歴史家たちによって「少子化が大きく加速した時代」と名付けられることになる。2020年は女性の過半数が50歳以上となる。これ以降、出産可能な年齢の女性数が急速に減り、出生数は激減期に入っていくことが避けられないからだ。

2020年代は同時に「高齢者をめぐる社会課題が深刻化した時代」とも位置付けられよう。2022年には団塊世代が、大病にかかりやすくなる「75歳以上」になり始める。2025年になると高齢者の5人に1人が認知症になると推計されている。

こうしてほんのわずかな例を挙げるだけでも、日本社会が大きく変わり行くことを予感させる。だが、2020年代に起こる変化は、その後の変化を考えれば序の口に過ぎない。2030年代、2040年代と時代が進むほど状況はさらに悪化し、今後40年で総人口は約3割減り、100年もしないうちに半減する。

人口に関する未来予測は大きくは外れない。日本社会はかなり遠い将来まで出生数の減少、高齢者数の増大、人口の激減が続いてしまうのだ。これはすでにこの世に生まれ落ちた人々が年齢を重ねることで起きることであり、「変えられない未来」だからである。

われわれは、これまでの発想や手法では全く通用しなくなる時代が、すぐそこまで迫ってきていることにいち早く気づく必要がある。

常識的に考えれば、素早く変化の先に目を向け、対応策を練り上げるべきである。ところが、不都合な真実から目を背け、「現在」をベースとして未来を描こうとしている人が実に多い。だが、いくら〝過去の成功モデル〟にしがみつこうと努力したところで、いずれ頓挫するだけだ。日本社会にはパラダイムシフトが起こっているのである。早く目を覚まし、少子高齢化や人口減少が進むことを前提とするしかない。

人口減少に対して日本に勝算は残っているのだろうか。結論から言えば、狭く厳しい道ではあるが残されている。

私は職業柄、多くの国会議員や官僚、学者たちと長年にわたり政策論議を重ねてきた。故郷を盛り上げようとしている地方自治体の職員や若者たちを訪ね、地域の実情を聞いてきた。全国各地に足を延ばす機会も非常に多く、中小企業団体、労働組合、医療団体、教育関係団体のほか、日本を代表する企業の経営者などとも意見を交わしてきた。こうして得られた経験や知識を反芻し、企業や地方自治体が存続し続けるためには何が求められているのかについて自問自答を続けてきた。

そして私が至った結論は「戦略的に縮む」という考え方だ。「戦略的に縮む」ための道筋も、少しずつ見えるようになった。古い価値観を捨て、発想を切り替えたならば、人口が大きく減ろうとも日本が「豊かな国」として歩み続けることは十分可能なのである。

裏を返せば、もし、このまま価値観を転換させることなく漫然と少子高齢・人口減少の進行を傍観し続けたならば、それこそ日本は万遍なく衰退してしまう。多くの仕組みや組織が次々と破綻(はたん)し、淘汰されていくことだろう。そうならないためにも、ほんの少しの勇気をもって「変化」への一歩を踏み出していく必要がある。

「縮む」というのは、普通に考えれば〝衰退〟を意味する。拡大路線によって成長を続けてきた従来の常識に照らせば〝あり得ない考え方〟であろう。もちろん、私も単なる「縮小」を訴えているわけではない。あくまで「戦略的に」と述べているのである。

少子高齢・人口減少社会で求められるのは、これから起こる事象が時代の変遷や産業構造の転換などによるものなのか、人口動態の変化の影響を受けてのものなのかを見極める能力だ。こうした力を身に付けることなく「未来の年表」を描くことはできない。人口減少社会ではすべてを実現・達成することは叶わない。「戦略的に」とは、何を捨て、何を残すのかを判別することなのである。こうした判別の能力を高めていくためには、思考のアプローチを大きく変えていくしかない。

私はこれまで『未来の年表』(講談社現代新書)をはじめとする数多くの著書を世に送り出し、人口減少日本で起きることを可視化してきた。おかげで多くの読者を得て、全国から講演に招かれる機会も増えた。そうした中でたくさんの方から頂戴してきたのが「どうやって未来を予測すればよいですか」という問い合わせだった。

それぞれに年齢も職業も住んでいる場所も違うため、見ようとする未来図も個々に異なる。そのすべてを私が可視化することは、とても無理だ。

そこで、本書は私が未来予測をする上で何に着目しているのか、その思考プロセスをお伝えしようと思う。いわば、「人口減少に負けない思考法」だ。

未来の予測は、過去のデータや将来予測の推計値を丹念に読み解いていくことがベースとなるが、やみくもに数字を見つめていても何もつかめない。ときに直感に従い、あるいはイマジネーションを働かせながら仮説を立てることが重要になる。各種データを使って自ら立てた仮説を確かめることによって、推計値が語ろうとしている真の未来図を「見える化」することだ。

とはいえ、「イマジネーションを働かせることは難しい」という人も多いだろう。「仮説といっても簡単には思い浮かばない」という相談を受けることも少なくない。

そこで、本書では、「ケーススタディー」のスタイルをとることにしたい。ビジネスシーンや地域社会で起こること、あるいは地方自治体に及ぶ影響など、さまざまな事例を題材として取り上げ、それぞれの「未来」を読み解き、どう対応すべきかを示そうと思う。もちろん、すべての読者にあてはまる事例ばかりとはいかない。だが、仮に携わったことのないテーマであっても「このケースは、このように考える」という思考のプロセスに触れることで、私がどのようにデータを分析し、仮説を立てているのかを理解していただけると考える。結果として「未来」を読むパターンのようなものが分かってくるだろう。

改めて述べるが、人々が人口減少時代に対して不安に思ったり、気が滅入ったりするのは、「過去の成功体験」や「これまでの成功モデル」がもはや続けられないのに、維持し続けようと一生懸命になるからである。

しかしながら、これから起こる社会の激変は、ビジネスも、行政も、地域社会も、家族の在り方をも根底から変えてしまう。それはコロナ禍で目の当たりにした社会の変化とは比べものにならないようなスケールであろう。2020年の社会の延長線に未来は続いているわけではない。

「過去の成功体験」や「慣習」「こだわり」などといったものをいったん否定してみると、「未来」に対するイメージは大きく変わる。これまで「当たり前」と思い込んできたことには、〝偶然の産物〟だったものも多いはずだ。人口減少に負けない思考法によって「未来を見る力」をつけたならば、目の前の風景も、未来へと続く道もいまとは全く違ったものとなるだろう。

そして、「未来を見る力」を養う上で、決定的に重要となるのがエンパシー（empathy）だ。「相手の立場になって考える」といった意味である。人口減少に伴う変化の大きさを考えると、自分とは異なる価値観や立場の人々と手を携え、協力しながら難局を乗り越えていかなければならないからだ。エンパシーについては第5章で詳しく述べる。

激変の時代は、秩序だった時代に比べて新たなことを始めるチャンスははるかに大きく、成功確率も高い。もし、人口減少時代に勝ち残り、あるいは激変というビッグチャンスを手中に収めたいと思うのであれば、一刻も早く古い発想や価値観を脱ぎ捨て、これまでとは違うやり方に転じることだ。

本書が、「日本は衰退していく」と悲観するすべての人にとって希望の書とならんことを切に願う。

未来を見る力——人口減少に負けない思考法◉目次

第2章 こんな考え方はもはや通用しない

第3章 マーケットの未来を見る力

第4章 地域の未来を見る力

第5章 コロナ後を見る力——「変化の時代」というチャンス

第1章

令和の時代はどうなるか——イオンやアマゾンが使えなくなる日

人口減少をめぐる状況は年々深刻化しているが、その実情を詳しく知る人は多くはない。

これから日本で何が起ころうとしているだろうか。本章は、その実態に迫って行く。〝相手〟を知らなければ、何も始まらないからだ。

身近な暮らしにも変化は確実に表れ始めている。実態を深く知るにつれて、人口減少がもたらす課題を幾分かでも軽減できるとして期待を集めてきた政策に、致命的なハードルがあることにも気づくかもしれない。あるいは暗たんたる気持ちにもなることだろう。しかしながら本章の真の目的は、なぜ「未来を見る力」を身に付ける必要があるのかを明確にすることにある。読者はその理由を知ることとなるだろう。

少子化は決して止まらない

「はじめに」でも述べたように、本書は人口減少に負けない思考法によって「未来を見る力」をつけることを目的としている。

ただし、変化を受け入れ、思考法を変えることは大きな負担である。人というのは、これまでうまくやってきた手法を一日でも長く続けたいと思うものだ。

なぜ、過去の成功体験を捨てて、「未来を見る力」を身につける必要があるのか。今後われわれが生きざるを得ない時代の変化の激しさを直視すれば、その理由が分かってくる。

まずは、現時点における日本の人口動態を確認しておこう。２０１９年の年間出生数は過去最少の86万５２３４人である。これに対して年間死亡数は戦後最多の１３８万１０９８人だ。前年比の人口減少幅は51万５８６４人だ。

しかし、この人口減少幅はまだ序の口である。社人研の「日本の将来推計人口」（２０１７年）によれば減少幅は年々拡大し続け、２０４０年代に入ると毎年90万人ほどの規模で減っていく。ビジネス的な視点で考えるならば、毎年一つの県や政令指定都市と同規模の国内マーケットが縮んでいくようなものである。こんなペースで減ってしまったのでは、国内向

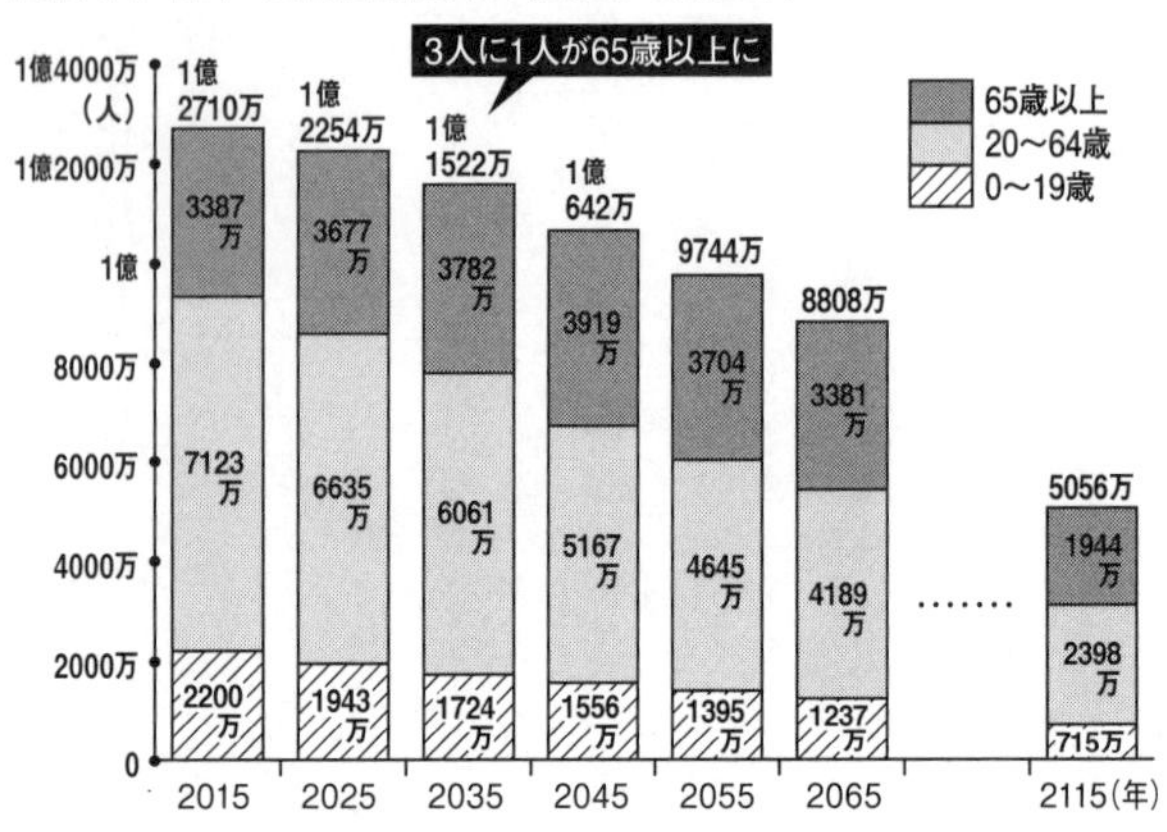

出典:国立社会保障・人口問題研究所「日本の将来推計人口」(2017年)

けの商品やサービスを扱う企業はもとより、ほとんどの業種が現状のまま成り立たなくなるだろう。地方自治体だって税収が減り、存続が危ぶまれる。

　では、少子高齢化や人口減少はどこかで収束するのだろうか。根本的な解決策としては子供がたくさん生まれる社会を取り戻すしかないわけだが、それは簡単なことではない。少子化は、「次なる少子化」を招く悪循環をもたらすからだ。

　少し具体的に説明しよう。四半世紀前に生まれた女の赤ちゃんは現在25歳の女性となっているわけだが、この年齢の女性の数をいまさら増やすことはできないだろう。このように、現在の女児の人数を数えれば、かなり先

図表1-2 出生数の推移

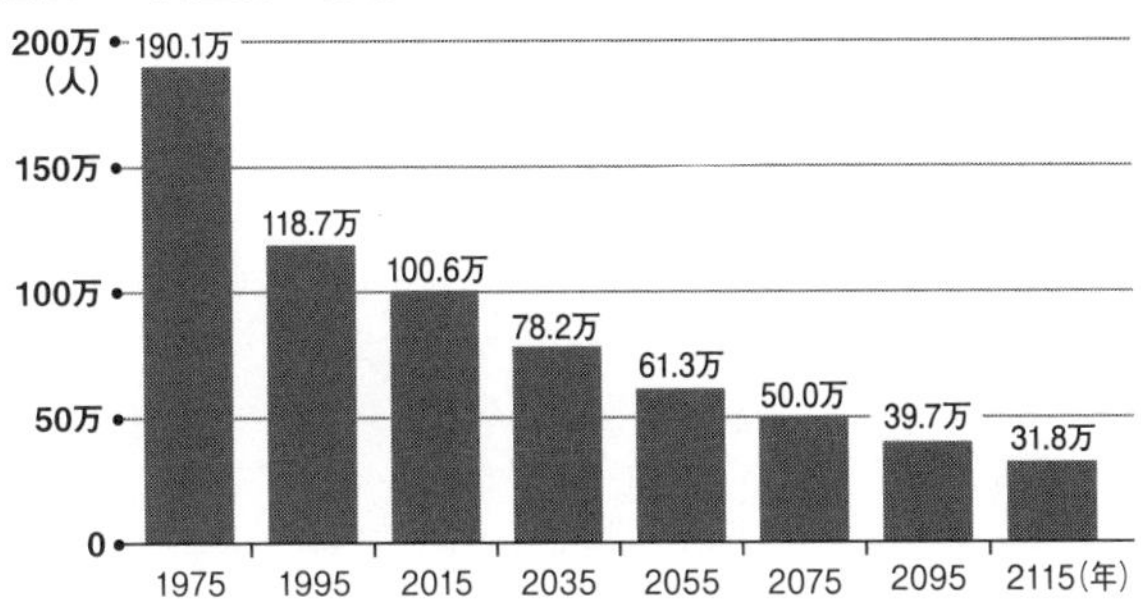

出典：厚生労働省、2035年以降は国立社会保障・人口問題研究所の推計値

まで子供を産むことのできる年齢の女性の数はおおよそ予想がつく。

少子化というと、生まれてくる子供の数が減ることだと解釈しがちだが、真に深刻なのはむしろ「未来の母親」が減ることなのである。

こうした〝過去の少子化のツケ〟をこれから支払っていかなければならない。２０２０年代とは、「子供を産むことができる女性数の激減」がより明確になってくる時代との側面を持つ。

では、どれくらい「未来の母親」の数は減ってしまうのだろうか。現在、子供を産んでいる女性の多くは25～39歳である。そこで、この年齢層の女性人口を社人研の将来推計で確認してみよう。国勢調査が行われた２０１５年を基準にすると、２０４０年は４分の３、２０６０年代半ばにはおよそ半分の水準に減る

図表1-3 25～39歳の女性人口の推計値（2015～2115年）

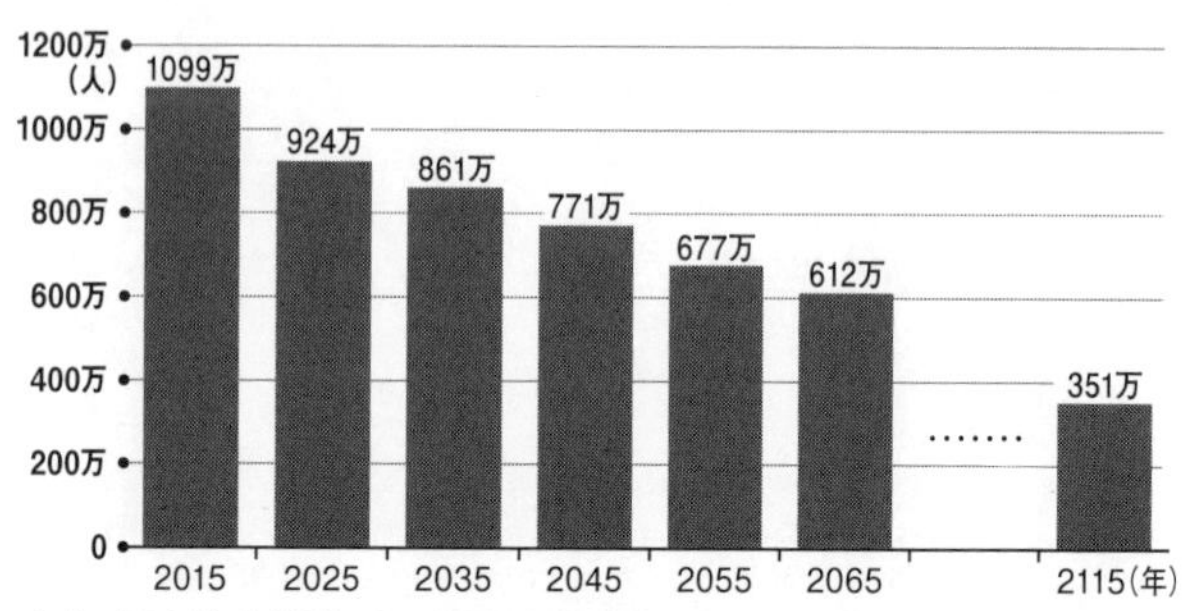

出典：国立社会保障・人口問題研究所「日本の将来推計人口」(2017年)

（図表1－3）。

極めて単純化して考えるならば、2060年代半ばの夫婦やカップルは、現在の夫婦やカップルの2倍の水準の子供数を産み育てる社会となって、ようやく現状の90万人程度の年間出生数を維持できるということだ。

果たして、そのような社会は到来するのだろうか。ひとたび少産が〝当たり前〟となってしまった社会を、再び多産社会へと戻すというのは至難の業である。

残念ながら、今後、多少のベビーブームが起こったところで日本の少子化は止まらない。人口減少は収束しないのである。われわれは、これまでの日本史にはなかった〝極めて特異な時代〟を生きていることを認識し、まずはこの「現実」に向き合わなければならない。

図表1-4 75歳以上人口の推計値（2015〜2115年）

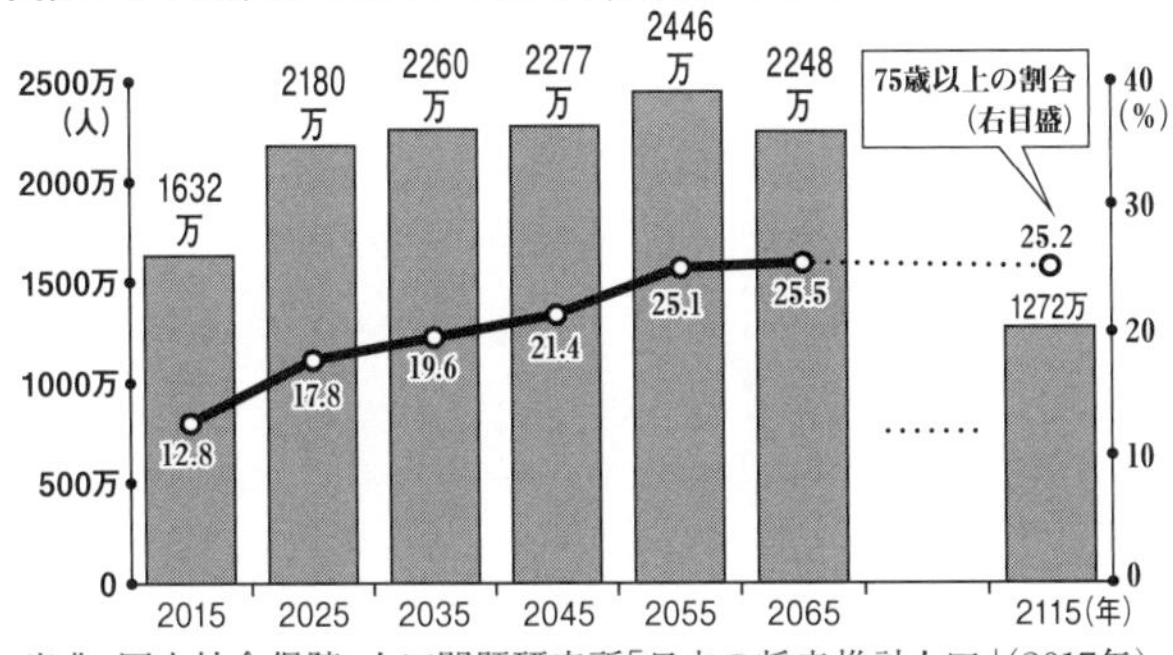

出典：国立社会保障・人口問題研究所「日本の将来推計人口」（2017年）

政治家の〝意気込み〟に付き合っている暇はない

しかも、高齢化がさらに進む。それはすなわち、現時点で子供であろうが高齢者であろうが年齢に関係なく、「残りの人生」はずっと人口減少社会を生きざるを得ないということだ。

２０４０年代になると毎年90万人規模で人口が減っていくと先述したが、それでは日本はみるみるうちに縮小していくことだろう。社人研の将来推計人口を見ても、２０１５年の国勢調査で１億２７００万人余を数えた日本の総人口は、２０６３年に９０００万人を下回り、１００年も経たないうちに５０００万人ほどに減る。ここまで大規模かつ速いスピードで減少したのでは、あらゆる場面で社会は変わり行くだろう。

政治家などには「人口減少を止める」「少子化に歯止

めをかける」などと気軽に語る人もいるが、現在の日本にはこうした〝意気込み〟に付き合っている暇はない。

一刻も早く発想を切り替え、少子高齢化が進むこと、人口が減り行くことを前提として、どう対応していくかを考えなければならない。どうせ変わらざるを得ないのであれば早く挑戦を始めたほうがより多くの選択肢が残る。

重要なのは変化の方向性だ。変わるといっても、がむしゃらに努力したり、その方向を間違えたりしたのでは個々がうまくいかないだけでなく、場合によっては社会全体に致命的な打撃を加えることになりかねない。

変化の先行きを正しく見通し、的確に対応するには、人口減少に負けない思考法がどうしても欠かせないのである。

日本最大の小売店もいつ消えるかわからない

少子高齢化と人口減少によって、日本の社会はどのように変わっていくのか。繰り返すが、「未来を見る力」を養うには、日常の風景を疑うところから始めることである。思考法を分かりやすく理解していただくために、ケーススタディーは多くの人にとって馴染みのあるテーマを取り上げたいと思う。たとえば「大規模ショッピングセンター」だ。

郊外を中心に、いまや全国どこでも見られるようになった大規模ショッピングセンターは、とりわけ店舗が少なくなった地域にとっては大概のものが揃う〝頼りになる存在〟だ。だが、人口減少時代においても〝そうした存在〟であり続けられるのだろうか。

大型ショッピングセンターの将来を垣間見る象徴的な出来事が2019年9月に富山県で起こった。業界最大手のイオンの「イオンモール高岡」が増床オープンするにあたり、テナントとして入居している飲食店が新規のアルバイト店員を思うように集められなかったのだ。

複数の店舗で東京・銀座のアルバイト給与水準を超える「時給1500円」に引き上げて募集する事態になったという。飲食店以外でも、通常時より割増の時給で募集するところが見られた。背景にあったのは人手不足である。近隣の大型商業施設も増床を進めていたことが、応募者の不足に拍車をかけた。こうした販売店員をめぐる悩みはイオンに限らず、どの大型商業施設でも起こる共通の話だろう。

これを大型ショッピングセンターの「未来」として人口減少に即した視点で捉え直したならばどうなるのだろうか。もちろん「人手不足は地方でも深刻なのか」などと感慨にふけっている場合ではない。ここで気づくべきは、リニューアルオープン早々にアルバイトが集め切れないということは、地域内の働き手世代が減ってきているということである。働き手世代というのは、同時に消費者の中心層でもあるので、その層が薄くなってきているということは店舗を維持するのに最低限必要となる顧客数の獲得が今後困難になっていく、ということである。

すなわち、店舗数をどんどん増やしたり、売り場面積を拡大したりして売上高を増やしてきたモデルが転換点を迎えたということである。拡大路線を続けようと無理を重ねていこうとしても、店員はもとより肝心な顧客を確保・維持できなくなればうまくいかない。決して各テナントのアルバイト募集の苦労話などではなく、大型ショッピングセンターの在り様に発展する問題だと考えるべきなのだ。

さらに異なる視点で考えるならば、時給を引き上げたことによる副作用である。当然ながら、同地域内の時給相場に少なからぬ影響を及ぼしたであろう。このとき、アルバイトの争奪戦が起こり、近郊の店舗からは「1500円も払ったら採算が合わなくなる」という悲鳴が聞こえてきた。

これからも地域内の働き手世代が減っていくことを考えると、恒常的にアルバイトの募集に苦労する状況が想定されるわけだ。もし、それを時給の引き上げで対応し続けようとするならば、競争についていけず撤退や廃業を余儀なくされる近郊の店舗も出てこよう。それは結果として当地が不便なエリアとなることを意味する。人口流出が加速するという最悪の事態ともなりかねない。

大型ショッピングセンター誘致の大きなリスク

拡大路線から発想の切り替えが進まない現状においては、大型ショッピングセンターの勢いは衰えない。イオンの売り場面積だけで全国の百貨店（賃貸面積を除く）の総計を逆転する状況にあるという。一方で、変化の予兆も見られる。大型ショッピングセンター同士の顧客獲得競争も激しく、敗れて撤退を始めたり、商圏の人口減少が著しい地区では空きテナントが埋まらなかったりという事例も見られるようになってきた。

さらに、インターネット通信販売（ネット通販）の普及・拡大で実店舗に足を運ぶ若者は減少傾向にある。コロナ禍で日常生活にソーシャル・ディスタンシングが定着し、中高年にもネット通販を利用する人が増えた。商圏人口の減少以上に来店者数が減ったならば、大型ショッピングセンターの淘汰の流れはさらに進むことだろう。

大型ショッピングセンターへの来店者数の減少については、高齢化の影響も踏まえておかなければならない。郊外型の大型ショッピングセンターは高齢者にとって本当に使い勝手がいい店舗なのか、ということだ。

週末や数日に1回、郊外型の大型ショッピングセンターにマイカーで出かけ、大きなショッピングカートに次々と品物を入れ、大量購入するというアメリカ型の消費スタイルがベースとなっているが、こうしたスタイルはとりわけ一人暮らしの高齢者に合っているとは言えない。

第一、年齢を重ねると運転が難しくなり、郊外まで足を延ばすことができなくなる人が多くなる。しかも年をとればとるほど、一般的に消費欲は減退する。食品をたくさん買って冷凍冷蔵庫で貯蔵するにしても、余らせてしまったのではもったいない。大型ショッピングセンターは、高齢者が買い物をするには広すぎて使い勝手がよいとは限らないのだ。この点の詳細については、第3章に譲ることとする。大型ショッピングセンターもロケーションによっては、いつ地域から消えてなくなるかわからない時代に突入しているのである。

話を戻そう。こうした大型ショッピングセンターを取り巻く環境の変化の予兆を無視するかのように、全国の地方自治体の中には、地域おこしの一環として、雇用も創出する大型ショッピングセンターの誘致に一生懸命なところが少なくない。

しかしながら、その進出は往々にして既存の地元商店に壊滅的な打撃を与える。地元商店街が勢いを完全に失ってしまった後に、大型ショッピングセンターまでもが撤退する事態に至ったならば、それこそ目も当てられない。

大型ショッピングセンターの撤退というのは、商店街に少しずつシャッターを下ろした空き店舗が増えていくのとは異なり、ある日、突如として何十という店舗が一斉に〝消滅〟するようなものだ。それこそ「商店の空白地帯」となれば、住民の流出は止められなくなるだろう。

大型ショッピングセンターはいつまでも存続する公共インフラではない。人口減少社会においては、「当たり前」の存在ではないことを認識しておく必要がある。

ネット通販が届かなくなる理由

多くの人にとって馴染（なじ）みのあるテーマをもう一例挙げよう。前項でも少し触れたネット通販だ。

人口減少で実際の店舗が減ってしまった地域に住む人々にとっては、それこそ命綱ともな

図表1-5 ネット通販利用世帯の推移

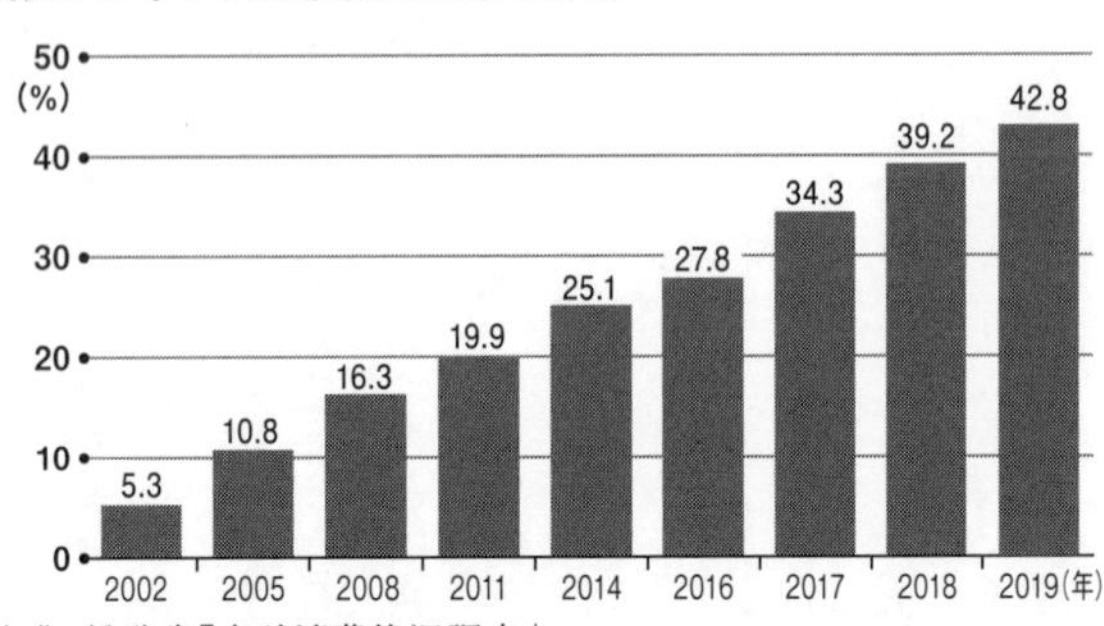

出典：総務省「家計消費状況調査」

っている。アマゾンに代表される巨大資本の通信販売会社の登場によって、消費の地域格差はかなり小さくなった。ファッション通販会社のＺＯＺＯは、以前ならば東京の渋谷や原宿などに行かなければ入手できなかったおしゃれな服を、地方にいながらにして手に入れることを可能にした。

総務省の「家計消費状況調査」（２０１９年）によれば、２人以上の世帯におけるインターネットを使って注文した世帯の割合は、２００８年の16・３％から２０１９年には42・８％にまで伸びている（図表１－５）。２０１９年の２人以上の世帯におけるネット通販の月間平均支出額は１万４３３２円である。これを年代別に見ると、40歳未満が２１１７９円と最も多いが、40、50代は約２万円、60代も約１万３０００円と、その利便性からいまや幅広い世代に利用されている。

図表1-6 トラックドライバー需給の将来予測

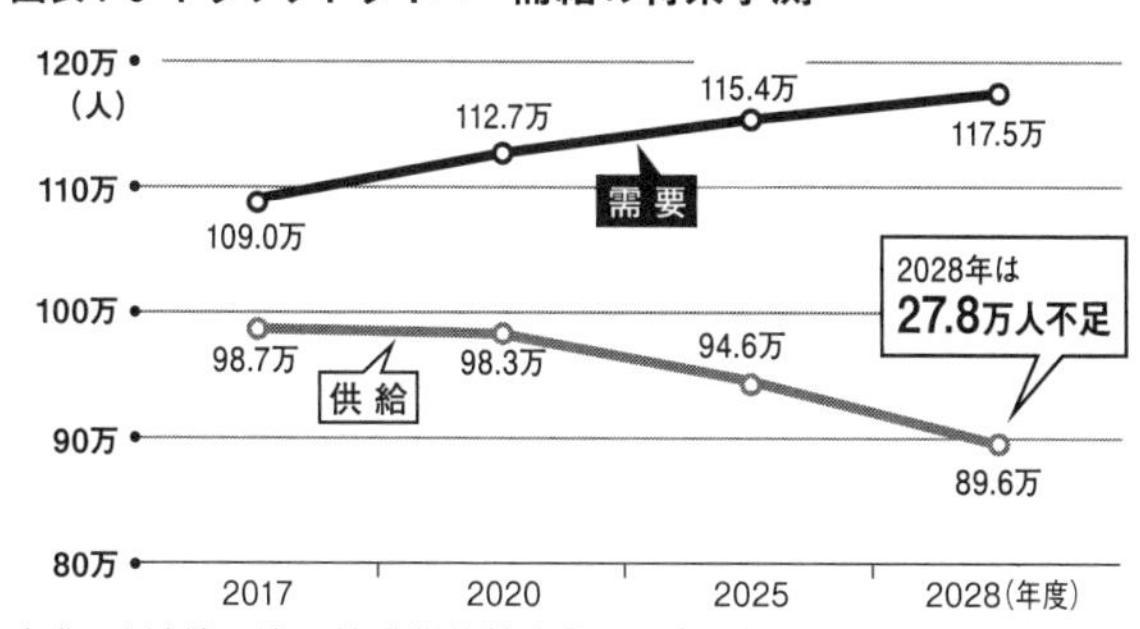

出典：公益社団法人鉄道貨物協会「本部委員会報告書」（2018年度）

実際の店舗が少なくなってしまった地方のみならず、高齢者など「買い物弱者」対策としてもネット通販への期待は高まっている。高齢者の利用も進んできているが、インターネットに慣れ親しんできた世代が高齢になれば、さらに高齢者向けの商品ラインナップやサービスが充実するだろう。高齢化社会との相性は相当に良い。

しかし、人口減少に負けない思考法からすると、ネット通販が日本で発展し続けるには致命的な課題があると言わざるを得ない。注文・購入や決済までは問題ないのだが、配送が簡単にいかないのである。

国土交通省によれば、宅配便の取扱個数は１９８５年には４億９０００万個だったが、２０１８年には43億７０１万個にまで膨らんだ。ネット通販の拡大も個数を押し上げる大きな要因になってきたものと考えられる。ところが、これだけ増大した個数を捌く、肝心のドライバーを十分な人数確保できないのだ。

国交省の資料によれば、2017年1～3月期には67％の事業者が人手不足を訴えている。公益社団法人鉄道貨物協会の本部委員会報告書（2018年度）は、大型トラックの運転者数が2017年度時点ですでに10・3万人不足し、2028年度には不足幅が27・8万人に拡大する見通しだという（図表1－6）。

大変なのは最終地点までの輸送

日本の産業の中で運送業の立場はかねてより弱かった。きつくて大変な業務内容のわりにドライバーの給料は低く抑えられてきた。国土交通省の資料によると、労働時間は全職業に比べて1～2割長い一方、年間賃金は約1～3割低い。運送業従事者の平均年齢が40代半ばくらいとかなり高いのも、それだけ若い働き手に人気がないことの裏返しである。人手不足は慢性的に続いているのだ。

東京と大阪など物流拠点の間の輸送はいまだ問題なく機能している。一度に大量の物を運べるので利益率もさほど悪くないからだ。

これに対して、物流拠点から個人宅など最終地点までの輸送が課題なのである。一軒一軒に物を運ぶのは手間のかかる仕事であり、利益率が低い。配達先が不在だった場合の再配達に要するエネルギーも膨大で、各運送会社とも「置き配」（あらかじめ指定した場所やボックスなどに非対面で荷物を届けるサービス）の導入など無駄を省くべく工夫を重ねているが、これといった人手不足の解決策はなかなか出てこない。

一方でネット通販が便利だからといってネット通販の利用量が爆発的に伸び続けたならば、どこかで配送業務がパンクすることは火を見るより明らかだ。現在のように即日や翌日の時間指定配達といった過剰とも思えるサービスがいつまでも続くわけはない。注文してから何週間も待たされるということになるかもしれない。

日常生活で多くの人が関わる代表的な２例を取り上げたが、少子高齢化と人口減少によって起きる「未来」の読み方の一端がお分かりいただけただろうか。

世の中はどこかで、誰かが「それぞれの役割」を担っているからこそ機能し、成り立っている。一方、われわれを待ち受ける「未来」では、その担い手がいなくなっていくのである。「未来を見る力」を身に付けるには、世の中の〝歯車〟が一つ欠けると、何がどう変わるのかイマジネーションを働かせることが重要なのである。

第2章

こんな考え方はもはや通用しない

人口減少によってこれから起こる社会の変化は、日本人が初めて体験する事態である。しかも、第1章で述べた通り、これは構造的な問題であり、残念ながらその対策には「正解」は存在しない。

手探りで進んでいかなければならないわけだが、間違いなく言えることはこれまでのやり方では通用しないということだ。

まずすべきは過去の成功体験を一度打ち捨てることだ。その上で残すものと捨てるものを選別することである。

本章では産業構造の転換や企業経営、雇用の変化について取り上げる。ビジネス環境が人口減少の影響をどのように受けていくのかを展望することで、ビジネスシーンにおける人口減少に負けない思考法を考えたい。

1 「人手不足は外国人、女性、高齢者で解決できる」のウソ

移民国家への道を一歩踏み出す法改正

人口減少社会における大きな懸念材料は、働き手世代の激減だ。現行多くの人が働いている年齢である20～64歳を「働き手世代」として社人研の推計表から抜き出すと、2040年までに1300万人ほど減る（図表2－1）。

もちろん、人手不足に関しては景気動向の影響も大きく、すでにいくつもの業界で「人手が足りない！」という悲鳴があがっているが、これほどの規模で働き手世代が減ったならば、さまざまな場面で「当たり前」と思ってきたことが、そうではなかったと気づかされることだろう。

わずか20年で1300万人近くも減ってしまう状況に、われわれはどう対応すべきなのだろうか。コロナ禍前までは多くの職場で人手不足は深刻化しており、外国人労働者やデジタル革命、AIによる省力化に期待をかける業種は少なくなかった。政府も外国人労働者の受

図表2-1 20〜64歳の人口の推移

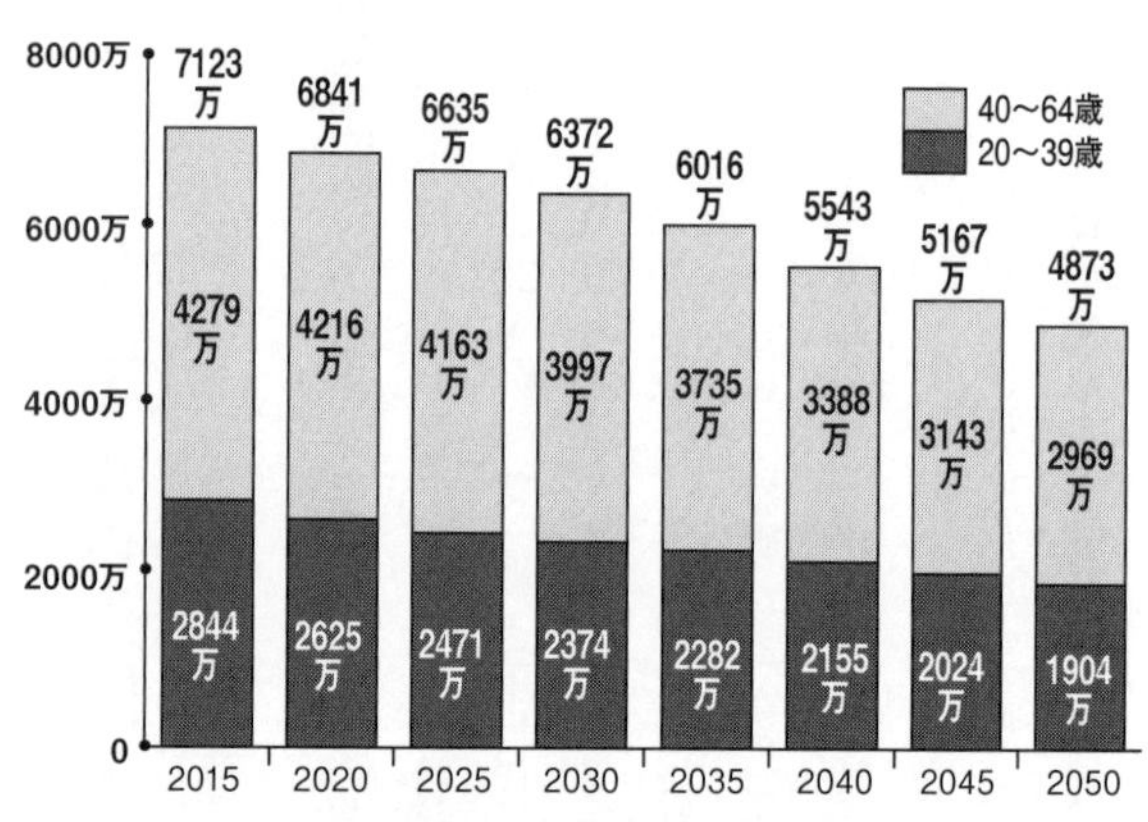

出典：国立社会保障・人口問題研究所「日本の将来推計人口」（2017年）
※四捨五入の都合により合計が合わない場合がある

け入れ拡大には熱心だ。安倍政権は重点的に取り組んできたと言ってよい。

そこで、外国人労働者の受け入れ拡大策について、ケーススタディーしてみよう。

人口減少に負けない思考法からすると、外国人労働者の受け入れ拡大は何を解決しようとする政策なのかさっぱり分からない。

少子高齢化に伴う人口減少で不足するのは働き手だけではないからだ。むしろ深刻に受け止めるべきは、「はじめに」でも述べた通り消費者の減少だ。この本質を見落としている人が実に多い。

消費者、すなわち「売る相手」が大きく減っていくことを無視し、外国人労働者によってモノやサービスの提供体制だけをいくら維持したとしても意味がない。結局は、工場や店舗を閉じて生産量や販売量を減らさざるを得なくなるだけだ。懸命に招き入れた外国人労働者も、売上が伸びず経営が悪化したならば解雇せざるを得なくなる。

こんな非効率な投資をするよりも、組織体力が残っているうちに〝外国人労働者を獲得するためのエネルギー〟を国内マーケットが縮小しても儲かる企業収益モデルへの転換のために振り向けたほうが、はるかに建設的だ。

それ以前の問題として、外国人労働者は本当に来日するのかという疑問がある。

まずは外国人労働者政策について、おさらいしておこう。先にも述べたように安倍政権は総じて受け入れに積極的ではあったが、大きく踏み込んだのは2019年4月からスタートした新たな在留資格の創設だといってよい。当面14業種に限ってではあるが、事実上の単純労働者の受け入れ解禁へと舵(かじ)を大きく切ったのだ。同時にこうした単純労働者に対して永住権の道も開いた。安倍政権は移民政策こそ否定しているが、実質的には「移民国家」への道に一歩踏み出す法改正を断行したのである。

日本が移民国家になることについては、議論が分かれるところだろう。だが、その問題はとりあえず脇に置く。それ以前の問題として、実際、毎年数十万人ペースで働き手世代が減

図表2-2 外国人労働者の推移

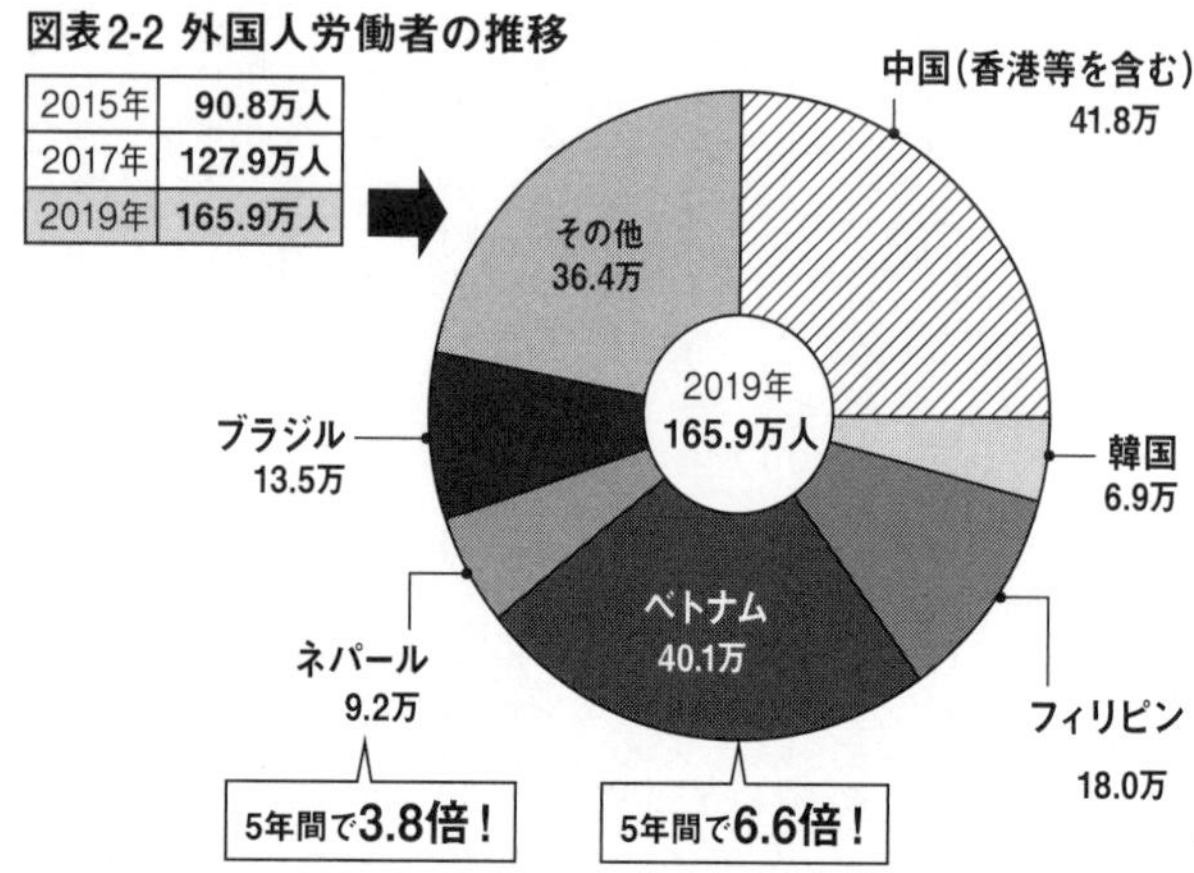

出典:厚生労働省「外国人雇用状況の届出状況表一覧」

っていく日本の人手不足を、外国人労働者の受け入れでカバーできるのかを考える必要がある。

外国人労働者については、これまで日本政府は原則として学者や弁護士などの専門的な知識や技能を持つ「高度人材」しか受け入れてこなかった。そのため、外国人労働者によってでしか人手不足を解消できないと考える人たちには「日本政府が築いてきた障壁を取り払い、門戸を開放すべきだ」との主張が少なくなかった。これは「障壁さえ取り除けば、雪崩を打つように彼らはやって来る」「世界中が日本を目指し、来たがっている」ということを前提とした考え方である。

だが、果たしてそれは本当なのだろうか。

結論から言えば、ここには〝致命的な誤り〟がある。いわば勝手な思い込みであり、ファンタジーだ。

各国で少子高齢化が大きな問題になる

そもそも外国人労働者というのは、政治的な影響を受けやすい。われわれはコロナ禍でそれを目の当たりにしたはずだ。各国政府は防疫態勢を強化した結果、多くの外国人労働者の国際移動が途絶えた。その存在に頼ることの危うさを如実に物語る事例といえよう。

感染症のような状況はレアケースかもしれないが、仮に入国に関する「障壁」をきれいさっぱり取り除いたとしても、外国人労働者が日本の働き手世代の不足を十分に穴埋めするほどの規模でやって来るわけではない。なぜならば、日本人がすぐに思い浮かべるような「送り出し国」の多くで本格的な少子高齢化が始まろうとしているからだ。

将来的な労働市場や経済成長、社会保障制度などに対する高齢化の影響をチェックする「潜在扶養指数」という指標があるが、国連の「世界人口推計」（2019年版）によれば、同指数を65歳以上人口に対する25〜64歳人口の比率とした場合、2050年までにヨーロッパや東アジア、東南アジアの多くの国で2を下回るなど世界規模で低下が続く（図表2−

図表2-3 潜在扶養指数
（65歳以上人口に対する25～64歳人口の比率）

	2020年	2050年
世界全体	5.3	3.1
日本	1.8	1.1
中国	4.9	1.9
韓国	3.8	1.2
フィリピン	8.3	4.4
ベトナム	7.0	2.5
ネパール	7.4	4.5
インドネシア	8.1	3.2
シンガポール	4.7	1.4
タイ	4.4	1.6
アメリカ	3.1	2.2
イギリス	2.8	1.9
フランス	2.4	1.6
ドイツ	2.5	1.6

出典：国際連合「世界人口推計」（2019年）

3）。日本から遅れること10年、20年などと国によって異なるが、各国で少子高齢化が大きな社会問題となってくるということだ。

人口が増える国であっても、多くはそれぞれの平均寿命の伸びが要因だ。日本との交流が比較的多かった東南アジアや南米の国々には出生率が下落傾向にあるところが多い。国連の推計では、今後、働き手世代が大きく増えるのはサハラ以南のアフリカ諸国などであり、地理的側面やこれまでの歴史を考えても、こうした国々から多くの人が日本に働きに来るとは考えづらい。

こうして考えると、当面は、そこそこの人数を送り出すだけの余力があったとしても、日本社会が期待するほどの人数を、しかもいつまでも期待するのは難しいだろう。

すでに介護人材は「奪い合い」が始まっている

外国人労働者が思うように来日しない理由はこれだけではない。先進各国で一足早く少子高齢化が進むということは、いずれ世界規模の〝外国人労働者争奪戦〟が始まるということでもあるからだ。

すでに介護人材などをめぐって、日本と韓国や台湾などとの間で奪い合いが起きている。優秀な東南アジア諸国の労働力についてはヨーロッパ各国も触手を伸ばしている。日本も自治体の首長が当該国を訪問して売り込み攻勢をかけるなど、あの手この手でリクルート活動を展開しているが、思うように集められていないのが現実だ。

これらの事情もさることながら、外国人労働者を思うように集められない最大の要因となりそうなのが、コンピューターの普及・発達である。

いまやコンピューターによって制御されたハイテク工場を建設したならば、日本製のように精密な製品は無理にしても、〝そこそこの完成度の製品〟を安い価格で生産できる時代となった。また発展途上国の生活水準が向上したことで、そうしたレベルの製品が売れるマーケットも拡大している。

熟練した技能を身に付けていなくとも、ボタン一つ押すだけで〝そこそこの完成度の製品〟を生み出すことができるのならば、資本家の立場にすれば人件費の安い国に工場を建てたほうがよいという判断になる。

要するに、開発途上国にも工場が建設され、それなりの仕事が創出される時代になったのである。自国または母国に帰りやすい近隣国にて仕事が見つけられるようになったとなれば、わざわざ言葉が通じない、食習慣も生活様式も異なる極東の島国にまで、高い渡航費用をかけて出稼ぎに行くインセンティブがどこに存在するだろうか。

かつて日本は開発途上国の労働者にとって〝憧れの国〟であったのかもしれないが、高齢化が進んだいまとなっては魅力に乏しいということであろう。中国をはじめ各国が経済成長を遂げる中で、待遇面を含めて競り負けているのである。

その証拠に、2019年4月から実質的に単純労働を解禁してみたところで、この在留資格を使って来日した外国人労働者は3987人（2020年3月末現在）にとどまった。雪崩を打つが如くに来日することはなかったのである。

政府与党や経済界には「門戸の開き方がまだまだ厳しいので来ない」という声もあり、さらなる来日要件の緩和や対象職種を14業種から拡大するよう求める動きもあるが、ここまで説明してきたような「日本の置かれた現状」を十分に理解しているとは言い難い。

受け入れを拡大すれば現状よりは外国人労働者の絶対数は増えるだろうが、日本の労働力不足をカバーするほどの規模では来日しないと思ったほうがよい。これからの日本では働き手世代は毎年数十万人ものペースで激減していく。その穴を外国人労働者で埋める発想を持つこと自体が無理な注文なのである。

「若い男性」の代替要員が務まるか？

次に、政府が外国人労働者の受け入れ拡大と並んで期待する「女性と高齢者の活躍推進」をケーススタディーとして取り上げよう。

安倍政権の目玉政策の一つであった「一億総活躍社会」と呼ばれる政策だ。働く意欲がありながら、機会に恵まれない人がきちんと働ける社会をつくっていこう、という理念に反対する人はいないだろう。一刻でも早くそうした社会の実現が望まれる。

むろん政府の本音は、そんな理想論でなく、働き手世代不足の解消策として期待したいという極めて現実的な思惑である。

とりわけ、高齢者の社会参加は、年金の受給者を減らすと同時に制度の「支え手」を増やすことができるという一石二鳥の策となる。働く高齢者にとっては得られる収入は老後生活の足しになることに加え、やりがいを持って社会参加をすることで健康増進効果も見込まれる。

外国人労働者の受け入れ拡大と比べてもメリットは大きい。まず、日本語能力を心配する必要がない。海外に目をやると外国人労働者を多数受け入れた国においては文化の違いによる摩擦や社会の分断が少なくないが、女性や高齢者の活躍推進ならばそうした懸念もなく、働き手不足解消策として「現実的」ともいえる。

しかしながら、人口減少に負けない思考法をしてこの問題を捉えると、政府の思惑通りにことが進むのか疑わしい。そもそも「女性」や「高齢者」とは具体的にどのような人々を指しているのか。また、どういう仕事を担ってもらおうとしているのかも曖昧だ。

政府内の議論や企業の思惑に耳を傾けると、〝若き男性労働力〟が不足することへの代替要員としての期待が大きいようだ。だが、この期待は、政府がどんなに旗を懸命に振ろうとも、空振りに終わることだろう。

いうまでもなく、人間は性差にかかわらず個々に得意分野が異なる。世の仕事には肉体的な強さを求められる仕事がある。同時に、ファッション分野など女性顧客を対象にした商品を扱う仕事も存在する。一方で、勝手に世間が「男性向きの仕事だ」と決めつけてきた仕事も少なからずあり、そうした分野において男性労働力が不足したならば、代わって女性の進出が増えていくことはあるだろうが、そのすべてが女性に置き換わるとは考えづらい。

高齢者の労働参加においても同じことだ。多くの場合、同じ人物であっても、若い頃と同じ能力を発揮することは難しい。若くなくてはできない仕事がある一方で、年配者のほうが向く仕事もある。たとえば、警察の仕事で説明するならば、凶悪な犯人を捕まえるには「若い警察官」の出動が必要だ。一方、交番での道案内や相談などの業務では経験豊かな年配の警察官のほうが向くかもしれない。

高齢者の再雇用では、これまで働いてきた企業に勤められる人ばかりではなく、全く畑違いの企業に職を求める人も少なくない。こうした場合、現役時代には携わったこともない仕事に就き、大きなミスを犯すということもある。再就職先で十分な研修も受けないまま大型バスの運行を担うことになり、大事故を引き起こしてしまったという痛ましい事例もあった。

女性も高齢者も、働く意欲がありながら働く機会に恵まれないでいた人が働けるようになったとしても、それぞれの体力や適性など個々の望む条件に合った仕事に就かなければ長続きはしないだろう。

女性の〝M字カーブ〟はかなり解消している

次に考えたいのが、女性や高齢者とはどういう人たちを指すのかという点だ。

図表2-4 女性の年齢別労働力率

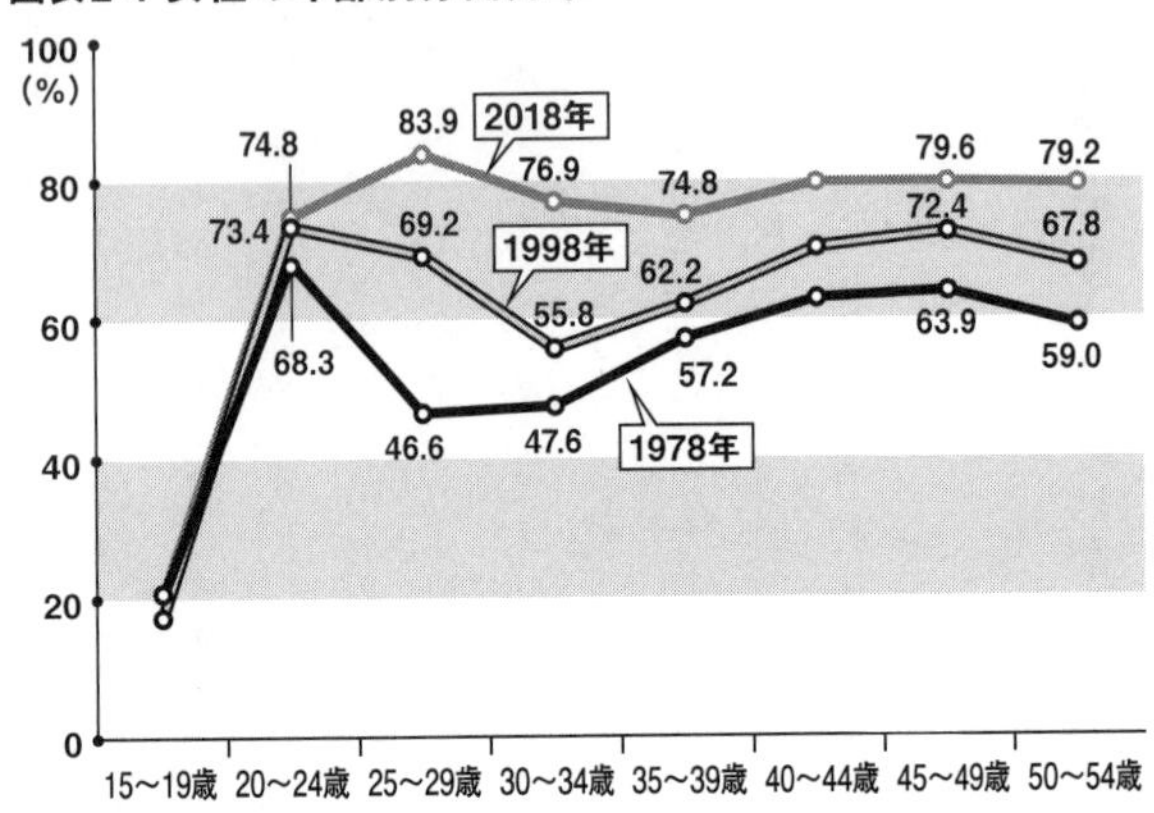

出典：内閣府『男女共同参画白書』（2019年）

女性の社会進出はかなり進んできている。総務省「労働力調査」（2019年）によれば、女性の就業者数は3000万人を突破した。女性の社会進出の遅れを計る指標として、女性が出産や育児で仕事を辞め、30代を中心に就業率が下がる「M字カーブ」があるが、内閣府の『男女共同参画白書』（2019年）で2018年の女性の年齢別労働力率を確認すると、30〜34歳は76・9％、35〜39歳は74・8％となっている（図表2－4）。非正規雇用で働くケースが多く、〝雇用の調整弁〟という課題は残るものの、「M字カーブ」はかなり解消し欧州のような台形に近づきつつある。

高齢者にしても、政府は何歳の人を対象に考えているのだろうか。これから日本では若い年齢の高齢者は減少していく。増えるのは80代以上の「より高齢化した高齢者」だ。まさか、80代以上のお年寄りを働き手として考えているわけではあるまい。

女性にしても高齢者にしても、働き手世代の減り幅と比較して、現実的に対象となる人の数が少ないのである。

女性や高齢者の社会進出の推進は、若き男性労働力が減るからその〝穴埋め〟と捉えるのではなく、これまで社会を離れていた人たちが、それぞれの能力に応じて、あるいは得意とする分野で「ゼロからプラスを生み出す存在」として位置付け、少しでも本人が希望する仕事に就きやすくなるようサポートすることが政府の仕事の本筋だろう。

2 「人手不足はAIで解決できる」のウソ

高速道路での自動運転もまだ実験段階

働き手世代激減への対応策として外国人労働者や女性、高齢者を取り上げてきたが、これらと並んで政府が期待をかけている方策にＩＴ技術によるデジタル革命がある。人工知能

（ＡＩ）の開発が進んだこともあり、業務の多くを機械に置き換えることで大胆な省力化が図れるとして、さまざまなアイデアが浮上している。

では、ＩＴ技術によるデジタル革命は、働き手世代の不足を解決し得るのだろうか。人口減少社会でＡＩとどう付き合っていけばいいのか、かなり具体化してきた自動運転技術を取り上げ、ケーススタディーしてみよう。

第1章で触れたように、日本の運送業は深刻な人手不足に悩まされている。その一方で、ネット通販の利用拡大に伴い宅配をはじめとした輸送需要は大きくなっており、この人手不足をどうにか解決せねばならないという危機意識は、運送会社のみならず、国土交通省も強く持っている。

そこで国交省が力を入れて取り組んでいるのが、自動運転によるトラックやドローンでの配送だ。

機械化による労働者の削減はいつの時代でも進められてきたことで、特段、目新しい発想ではない。それに期待することは当然だし、今後はＡＩなどを駆使することによって画期的な機械が登場する可能性は大きい。どんどん研究開発が進むことを期待するし、現時点では想像もつかないような便利な道具を、私もあまり年を取らないうちに使ってみたい。

では、人口減少に負けない思考法からすると、自動運転の技術はどう捉え得るのだろうか。まず押さえるべきポイントは、技術開発というのは開発者の思い通りには進まないものだということである。期待する技術がいつ完成し、どんな課題を解決してくれるかということについては、もっとシビアに考えておく必要がある。

最新テクノロジーによって、人間の移動はより便利になるだろう。しかしながら、登場した技術がそのままの形で、社会課題を解決する道具になるかといえば、それは別問題だ。

国交省は、２０２０年には自動車の無人運転の実用化に向けた実証実験を高速道路で実施する予定としている。そこまで技術は進んでいるということであり、否が応でも期待は高まる。

だが、歩行者が入り込まず、交差点もない高速道路で、しかも責任者が監視する中で無人走行に成功したからといって、市街地の一般道路でもうまくいくとは限らない。市街地を走る車がすべてＡＩ制御による自動運転の車であれば、中央指令室のようなところですべての走行を一元管理するなど制御の方法もあるだろうが、現実はそうはならない。かなりの期間、人間が運転する車とＡＩによる自動運転カーとが混在した状況になるだろう。

一方通行の逆走や、あおり運転のような乱暴な行動に出る運転者もいるし、自転車や歩行者の飛び出しも起こり得る。そうした予想不能の事態にも対応しながら、一般道でＡＩの自動運転車を走らせるには、まだいくつも乗り越えなければならない課題が残っているのが実情だ。

現在はようやく高速道路での走行実験という、かなり限定的な条件下での段階である。日本社会が抱えるドライバー不足を、最新テクノロジーがカバーしてくれるのは相当遠い将来の話であると考えておいたほうが無難である。

無人自動車は洗濯機を取りつけてくれるか？

とはいえ、技術開発は日進月歩である。万に一つかもしれないが、こうした走行安全上の課題を全部クリアし、自動運転のトラックが自由自在に走る時代になった場合のことも、ケーススタディーしておこう。

それでも、輸送トラックドライバー不足を解決する手段とはなり得ないだろう。

ネット通販で買った品物が購入者の手元に届くまでのプロセスを具体的に考えてみれば、よく分かる。自動運転の技術が進めば、物流の拠点から拠点への輸送は無人のトラックでも可能となることだろう。問題なのは、物流拠点から個人宅への配送だ。

物流拠点で荷台の積み替えを終えた無人トラックが購入者宅の前に到着したとして、荷台のたくさんの荷物の中から、その購入者に渡すべき品をどうより分けることができるのだろうか。また、購入者が不在だった場合、それをどう確かめればいいのか。

さらに考えなければならないのは、これから一人暮らしの80代以上の高齢者が増えるということだ。こうした高齢者が冷蔵庫や洗濯機といった家電を買ったときにどうなるだろう。自動運転の無人のトラックが、重い冷蔵庫や洗濯機を家の中まで運んでくれるわけではない。洗濯機ならば排水溝への取り付けなどの作業も必要となるわけだが、それは誰がやるのか。新しい冷蔵庫と取り換えた古い冷蔵庫を、無人の自動運転のトラックが回収して持ち帰ってくれるわけでもない。

このような作業まで機械に委ねるとなったら、サイボーグのような人間に近いロボットがこなさなければならないだろう。それほど高性能なロボットの一般普及は少なくとも現時点では目鼻もついていない。

タクシー利用には予測不可能な事態も起きる

自動運転技術については、トラックだけでなくタクシーへの活用も検討されている。すでに地方の空港や駅前などにおいては相当高齢の運転手が目立つようになった。人手不足が顕著になってきているためだ。これについてもケーススタディーしてみよう。

自動運転タクシーに関しては、2018年に大手タクシー会社などによる東京・大手町から六本木までの実証実験のデモンストレーションが行われた。今後も、自動車メーカーなどによる実験計画が予定されており、実用化に向けた動きが加速している。

では、自動運転タクシーによってタクシードライバー不足は解消するのだろうか。大手町から六本木までの実証実験の直後、私はタクシーを利用するたびにドライバーたちに「仕事を奪われる可能性はないのか」と聞いて回った。しかしながら、彼らは口を揃えて「当面、脅威にはならない」と答えた。

東京のようなタクシー台数が豊富な大都会の場合、決められたタクシー乗り場から乗車する人ばかりではなく「急いでいる」「荷物が多い」「急に雨が降ってきた」といった理由で、空車走行中のいわゆる〝流しのタクシー〟を手を上げて止め、利用するケースが多いというのが理由であった。自動運転のタクシーでは、乗車地点と降車地点があらかじめプログラムでセットされており、道端で手を挙げても乗れないというのだ。

あるタクシードライバーが語ったのは、「自動運転のタクシーは、新交通システムの電車と同じだ。決められた駅の、決められた停止位置には止まる。それ以外の場所に臨機応変に止まることはできない。だから、われわれの仕事を奪うライバルにはならない」という見解であった。

臨機応変に止まることができないというのは降車時も同じらしい。たとえば途中でひどい渋滞になり、迂回ルートを希望しても、プログラムをセットし直さなければ対応できない。駅前ロータリーが混雑しているような場面で、少し手前の地点で降りて歩いたほうが早く目的地に到着できそうだと判断しても、即座に対応できない。こうした状況にまで機敏に対応する自動運転のタクシーの開発はまだ時間を要しそうであるし、実現したとしてもかなり高度なテクノロジーを要するだろう。１台当たりの開発費用も大きくなり、採算面での問題も生じそうだ。

むしろこうした技術は、タクシードライバーたちが指摘したように新交通システムのような決まったルート、決まった位置に停車することに応用したほうが早い。そうした意味では通勤電車の運転士不足の解消に展開していく可能性が大きそうだ。

もちろん、ＡＩを搭載した最先端テクノロジーの追究はどんどん進めるべきである。だが、人口減少に負けない思考法からすれば、その実用化について気づかなければならないのは、開発者というのは世界中のライバルと新技術の開発競争をしているのであって、日本の人口減少がもたらす課題を解決せんがために技術革新に取り組んでいるわけではないという点だ。開発者たちは日本の人口減少問題の専門家ではない。

すなわち、それは彼らがもたらした画期的な技術を、日本社会の課題を解決する道具につくり直すための〝次なるイノベーター〟が必要になるということだ。革新的な技術が登場してから、一般消費者がそれを使いやすい道具として手にするまでには相当なタイムラグが生じるということでもある。その間も日本の少子高齢化は進み、勤労世代の激減による混乱が広がり続ける。

イノベーションは時として劇的に人々の暮らしに変化をもたらすが、そのタイミングまでわれわれは選べるわけではない。偶然、求めているタイミングで便利な技術を得られたならば、それはラッキーだったということである。

そのタイムラグを見越した上で、最先端テクノロジーの可能性を思い描かなければ、それは絵に描いた餅となりかねない。安易な技術信仰は厳に慎むべきなのである。

働き手世代の激減への対策が簡単ではないとなれば、企業活動の在り方を変化させるしかない。そこで、次は人口減少時代の企業経営についてケーススタディーしよう。

3 経営とは拡大を目指すこと、ではない

「拡大再生産」の思い込みを捨てよ

古くから「企業は何のためにあるのか」という問い掛けがある。これに対して多くの日本人はこれまで「拡大再生産をするためにある」という価値観を共有してきた。

日本では量的拡大こそが〝経営上の成功〟であり、売上高、業界シェア、従業員数といった数字は大きければ大きいほど良いこととされてきた。一流企業は大企業であることが前提であったし、大企業はトップシェアを目指すのが当然であった。

私が子供の頃、上昇気流に乗っていた日本経済を象徴するかのような「大きいことはいいことだ」というフレーズのチョコレートのテレビコマーシャルがあったが、経営者だけでなく、そこで働く従業員も、さらには消費者もいまだに昭和の高度経済成長期の価値観から脱し切れていない。

だが、人口減少社会では、こうした「大きいことはいいことだ」というモデルは実現した

くとも、実現のしようがなくなる。繰り返すが、もうそろそろ、これまでの成功モデルを本気で疑い、そこから脱する時期に入っている。

日本企業の多くは、内需を中心として成長してきた。ということは、企業の成長イコール人口増加でなければならない。拡大再生産という考え方は、人口が減少して内需が縮小していくこれからの時代には通用しないということだ。経済がグローバル化し、あらゆる商品のコモディティ化（機能や品質による差異が減少し、商品価値が普遍化、汎用化されること）が進行していくこともあり、加工貿易についてもかつてのような優位性は続かない。

では、人口減少時代において日本企業はどういう価値観をもって経営に臨めばよいのだろうか。人口減少に負けない思考法からすれば、「大きいことはいいことだ」という昭和的な拡大再生産路線とは正反対の発想で新しい「成功モデル」を確立することだ。そのほうが成功確率も高まることだろう。

私は、人口減少社会における企業経営のお手本を、ヨーロッパに見出している。

欧州の大国ドイツは人口が8300万人ほどだ。1億2600万人いる日本の人口の3分の2ほどでしかない。フランスにいたっては人口約6700万人で日本の半分ほどだが、いずれの国も豊かな暮らしを実現している。むしろ、国際社会の中で日本よりずっと大きな存

図表2-5 ヨーロッパの主な国の人口

	人口	首都	首都人口
ドイツ	*8315万人	ベルリン	361.3万人
イギリス	6680万人	ロンドン	813.6万人
フランス	*6699万人	パリ	220.6万人
スペイン	*4693万人	マドリード	320.3万人
オランダ	1738万人	アムステルダム	82.2万人
ベルギー	1149万人	ブリュッセル	17.4万人
スイス	854万人	ベルン	13.4万人
デンマーク	*581万人	コペンハーゲン	61.6万人
(参考)日本	1億2617万人	東京23区	927.3万人

＊は概数
出典:外務省資料・総務省「世界の統計」(2020年)

在感を発揮している（図表２－５）。

もちろん、ヨーロッパは大陸であり、国境は陸続きである。歴史も地政学的にも、極東の島国である日本とは事情が違う。いくらヨーロッパがお手本になるとしても、そのすべてを〝輸入〟することはできないし、そうすべきでもない。「日本ならでは」の強みを活かすべきだが、参考になるところは参考にしようと言いたいのである。

ブランド品はどのようにして生まれるのか

ドイツやフランスに限らずヨーロッパの国々では、世界的な大企業がある一方、こだわりの職人技を重視するビジネスモデルの企業が少なくない。こうした職人技を重視する企業は、大量生産や大量販売を追うのではなく、自分たちの生産力に合わせてつくった商品をできる限り高く売るべく、ほかではできない商品価値を付加することに腐心している。われわれはこれをブランド品と呼んでいる。

ブランド品は最初から希少価値を高く評価されたわけではない。また、ひとたびブランド力がついたとしても、そのままブランド品であり続けるものでもない。ブランド品は希少価値を高め続けるための努力を、企画から生産、販売に至るまで怠らないから評価されるのだ。どうやったら自分たちの製品を高く買ってもらえるのか、絶えずマーケットに問い掛け、高く買ってくれる人たちと直接対話を重ね、時々の技術を取り入れて商品モデルをたゆまなく変化させ続けているのである。

扱うものもさまざまだ。洋服やハンドバッグ、ガラス製品、あるいはワインやチーズといった完成品の場合もあるし、織物や皮細工といった中間財の場合もあるが、日本が参考にすべきは、品質を落とさないために責任を持てるだけの数量しかつくらないという姿勢だ。

日本も、いつまでも量の多寡（たか）や業界のシェアに固執するのではなく、質の向上によって一つ当たりの価格を上げて利益高を増やすモデルへと発想を転換することである。人口減少社会では、消費者と同時に働き手世代の人数も減っていくのだから、全体の売上高が減っても社員一人当たりの売上高や利益を大きくすることは可能である。これに成功すれば、個々の給与を増やすことだってできる。

もう少し具体的に説明しよう。

薄利多売の量的拡大を「成功モデル」としてきた日本企業の場合、現在の年間売上が1億円あったとしたら、5年後、10年後に向けて1・1倍（1億1000万円）、1・5倍（1億5000万円）にしようと努力する。そのための設備投資や雇用確保は惜しまない。

こうした日本のビジネスモデルは、日本の内需が拡大の一途をたどっていた高度経済成長期には極めて有効な手法であった。そのおかげで我が国は短期間で経済大国にのしあがることができたといってもよい。

だが、人口減少によって、もはや内需の拡大が見込めず、働き手世代も減る以上、自分たちの「強み」を最大限生かすべく捨てるところは捨てるということだ。これが私が提唱している「戦略的に縮む」という意味の一つだ。

もちろん、すべての日本の企業に当てはまるわけではないし、転換可能な分野の業種においても直ちにこうしたモデルへの転換を図れというのは無理があろう。

転換するにしても時間をかけることが肝要だ。組織をスリム化するのも定年退職者の補充人数を絞っていくことが穏便な方法であるだろうし、設備の切り替えも機械の更新時に転換を図っていくことになるだろう。

段階を踏むならば、可能な事業部門から着手すればよい。例えば、一つの企業で五つの事業部門を抱えているとするならば、そのうちの1部門か2部門をまずは少量生産、少量販売のモデルに移行させることだ。

日用品を扱っているメーカーなど、社会的使命としてどうしても安価で大量に製品を提供しなければいけない状況に置かれている企業もあるだろう。こうした企業こそ、付加価値の高いブランド品をつくる部門を創設し、そこで得た利益により安価な製品を安定的につくり続ける企業体力を蓄えるという経営モデルを構築していく必要がある。その手法は経営統合やM&Aでもよい。

売上を減らしても給料が上がるモデル

人口減少によってマーケットが縮み、加えて企業活動も「戦略的に縮む」ことにすれば日本のGDP（国内総生産）は当然小さくなっていくことだろう。企業の単位で捉えても、売上高は落ちていくこととなる。だが、それを恐れることはない。なぜなら、人口減少とは働き手世代も減るということでもあるからだ。

数字を単純化して説明しよう。仮に、社員が100人で年に100億円の利益を上げている会社があったとする。戦略的に縮むことで50億円の利益高になってしまったとしても、働き手世代の減少に伴い社員のほうも50人に減っていれば、一人当たりの利益高は同じ1億円だ。一方、社員数50人で一人ひとりが労働生産性を向上させ、かつ高付加価値のブランド品の製造にビジネスモデルをシフトすることで年間80億円の利益高を上げられたならば、一人当たりの社員が生み出す利益高は1億6000万円となる。この場合、給与やボーナスを現在より多くすることも可能だ。

人口減少に負けない思考法をもって考えるならば、人口が減り、売上高が減ったとしても、貧しくなるとは限らないのである。

人口が減るにつれてGDPが小さくなっていくことは仕方がない。だが一人当たりのGDPさえ増やせば、個々の暮らしはいま以上に豊かにできる。事実、日本よりもGDPが小さいヨーロッパの多くの国では豊かな暮らしを実現している。

こうした考え方には反発もあろう。これまで売上高やシェアを伸ばしていくことが企業の成功の証であったが故に、ベテラン経営者には「縮むという発想を持つこと自体が負け犬だ」「成長を諦めた瞬間に、他社に負ける」と語る人も少なくない。

私もできることならこうした意見に同調したいところだが、精神論を唱えるだけでは如何ともし難い。人口をめぐる数値は年々悪化を続けていく。すでに日本は瀬戸際まで追い詰められつつある。いまさら「拡大成長」の是非を論じている時間的余裕はない。マーケットが縮小したならば薄利多売のビジネスモデルは続けようがないという〝現実〟を語っているのだ。

働き手一人当たりの生産性の向上と高付加価値化によって利益高を拡大し得る企業が増えたならば、人口減少に伴って国内マーケットが縮小するほど、日本経済は落ち込まないで済む。そうなれば、社会の激変を少しでも和らげることができる。

人口減少時代に日本が豊かさを損なわないためには「戦略的に縮む」という方策しかないと私は考える。

イノベーションはいつの世も「無駄」から生まれる

「戦略的に縮む」ことには、もう一つの意味がある。

今後は少子化で、誕生した年が新しいほど、人数は少なくなる。そうした状況下で社会のサイズをいまの水準に維持しようとしたならばどうなるだろうか、想像していただきたい。

仕事量が減らないのに働き手世代が減っていくのだから、働ける年齢層は一人残らずフル回転して働かなければ辻褄（つじつま）が合わなくなるということだ。

入社したての新人であっても「即戦力」として成果を期待されるということだ。そうなれば、誰も冒険をすることはできなくなる。先輩のやり方を真似して無難に「小さな成果」を積み上げざるを得ないだろう。こうなると会社組織に新風が吹き込まなくなり、各業務において発想がマンネリ化する。

全員がフル回転して働かなければならない社会では、イノベーションも起こりづらくなる。いつの時代においても、新しい技術やヒット商品といったものは「無駄と思われるような挑戦」や「度重なる失敗」の中から誕生してきた。その担い手は往々にして熱意に溢れる優秀な若者であった。かつての経営者たちは、組織の人員をやり繰りすることで、優秀な若手社員にいつ利益に結び付くか分からない研究に打ち込む環境をつくってきたのである。

今後はただでさえ若者の絶対数が減るのに、新人までもが直ちに成果を求められるようになったのでは、こうした〝遊び〟が許されるはずもない。一人ひとりに課せられるタスクが膨大になってくると、効率よく捌（さば）かざるを得なくなり、技術開発のスケールはどうしても小さなものとなる。

資源小国と言われる日本においては、これは致命的である。新たな成長分野がなかなか育たなかった背景にもなっている。

人口減少に負けない発想法からすると、優柔な若者に「遊ぶ時間」を用意するためには、仕事の総量を減らすことだ。時代の変化の中で無用となった業務や商習慣などを徹底的に廃止し、勤労世代が減ってもなお人員の余裕を生み出すことである。業務の見直しが進んだならば、優秀な人材を成長分野に集中させていくこともできる。人口減少時代における日本は、これまで以上に技術力を高めていかないと豊かさを維持できない。

4 終身雇用はついに崩壊する

NEC初任給1000万円の衝撃

前節では人口減少時代の企業経営について言及したが、採用や雇用モデルもこれまで通りとはいかなくなる。ここでは最近、いくつかの企業が打ち出し始めた新卒社員への厚遇策をケーススタディーとして取り上げ、終身雇用や年功序列といった日本型雇用モデルがどうなっていくのかを考えたい。

新卒社員への厚遇策として最初に大きな話題となったのは、２０１９年6月のソニーの発表であった。デジタル革命に対応できる優秀な学生を獲得するため、横一線であった新入社員の初任給を崩したのだ。見習い期間が終わると能力や働き方によって等級に差がつき、その職位に応じて給与が上がる仕組みを設けたのである。最高評価の場合７００万円台となり同期の間で２００万円近い年収差がつく。高評価とならなかった人のやる気を削がないよう、その後の働きぶりで昇格や降格もあり、逆転可能な完全実力主義である。

こうなるとライバル企業も黙ってはいられない。ソニーと張り合うかのように、同年10月には、ＮＥＣが新卒社員の年収１０００万円超えを可能とする新制度を発表した。両社以外にも新卒社員への手厚い処遇をうたう企業が見られる。ソニーの「初任給平等」との決別は、新卒一括採用や終身雇用といった日本型人事制度を大きく転換させていくきっかけになるかもしれない。

人事担当者の焦り

こうした相次ぐ新卒者への超高待遇策の背景にあるのは、少子化に伴う人材難だ。いまや熟練した技能は陳腐化しやすく、多くの企業では、デジタル技術で既存制度を変革するデジタルトランスフォーメーション（ＤＸ）への対応を迫られている。デジタル革命に対応できる若手人材への切り替えを進めざるを得なくなっているのだ。ところが、終身雇用が原則となってきた日本型経営では、雇用が安定化している分、初任給を含む給与は外国企業に見劣りしてきた。

これでは、デジタル革命に打ち勝つための高度人材を確保することは難しい。年齢にかかわらず能力で評価され、実力次第で高給への道が開かれている外資系企業やＩＴ企業への学生の関心が高まるのも当然だ。

ソニーなどの動きの背景には、出生数が減り続けており、優秀な人材を早めに囲い込んでおきたいという日本企業の焦りがあるのだろう。

すでに大企業が「是非とも」と欲しがる人材は足りず、多くの企業の人事担当者からは「いい人が採れない」との愚痴が聞こえてくる。コロナ禍など景気に伴う雇用状況の悪化も時おり起こるだろうが、年々、若い世代の人口が減っていくことを考えれば、あらゆる業種・職種において、新卒者か中途採用者かを問わず優秀な人材の獲得競争が過熱しそうだ。

高待遇で迎え入れる新卒社員の対象はいまでこそ技術職が中心であるが、遠からず幹部候補としての事務系職種についても高待遇で募集する企業が増えることになるかもしれない。

就職時から手厚い処遇を受けられるというのは、学生の側からしたら朗報だろう。いまの若者たちは、企業は永遠に続く存在ではないことを皮膚感覚で知っている。コロナ禍による世界的な経済悪化もさることながら、人口減少に伴う激変に対応できなくなった企業が潰れる時代が到来するだろう。さらに、新型コロナウイルス対策における政府や地方自治体のデジタル化の遅れでも露呈した通り、新興国と比べてもＡＩなどに代表される技術革新における日本の出遅れは著しい。大企業に入ったからといって、自分たちの親の時代のような年功序列による昇進や安定した暮らしが保証されているわけでもないことも十分に理解している。

それだけではない。子供の頃からＩＴ長者といった成功事例を見てきており、若くても才覚とリスクを取る覚悟さえあれば、大企業で定年まで勤めあげても手にすることができないような大金をつかめることを知っている。こうした人たちはできるだけ早いうちに裁量のある仕事を任せてもらいたいと考えている。早く結果を出すことによって若くしてプレゼンスを高め、「自分に付加価値をつけていきたい」という意識を持っているためだ。

だが、いまや大企業であっても企業内で手厚い職業教育をするところは減ってきており、スキルアップを望めるわけではない。意欲的で優秀な若者と大企業の意識に大きな乖離（かいり）が生じているということだ。

こうした中、日本を代表するような大企業が、超高額の給与を呈示し、「実力のある者は年齢に関係なくプロジェクトのリーダーにする」という方針で新卒募集をすることは、とりわけ自分の力を試したいと思っている若者たちにとってはチャンスといえる。スタートアップ企業やベンチャー企業に入るよりはリスクが小さく、かつ、大企業ならではの大きな仕事を早くから任せられる可能性が大きいからだ。

人材の囲い込み策により、生涯賃金モデルは破壊される

しかし、人口減少に負けない思考法から新卒社員への厚遇策を捉えるならば、こうした囲い込み策は長続きはしない。それどころか、日本の大企業の正社員雇用、すなわち終身雇用や年功序列といった日本流雇用モデルの終焉の呼び水となりそうだ。その理由を説明しよう。

企業の立場からすれば、新卒者に高い給与を支払うということは、会社全体の賃金バランスを歪めることであり、生涯賃金モデルの破壊を意味する。

日本の大企業の多くは長い間、大学や大学院を出た新卒社員に、まずは丁稚奉公のようなオン・ザ・ジョブ・トレーニングなどを施し、そこから幹部候補生を誕生させるべく社内職業教育に力を入れてきた。

年齢が若いうちは仕事の成果に比べて賃金を低く抑え込み、結婚して子供の教育費が嵩み始めてくる30代半ばから40代までを手厚く処遇し、労働生産性に陰りが見え始める50代半ばになると再び賃金を抑える山型カーブを描くモデルを基本としてきた。個々の社員が生涯に受け取る賃金総額を、出世具合も勘案しながら調整する仕組みだ。

しかし、入社当初からドンと高い給料を支払うとなると、このような30代、40代でぐいぐい上っていくような生涯賃金モデルを設定できなくなる。どの企業も人件費のための豊富な原資があるわけでなく、入社時の高い給与水準をベースとして生涯賃金の総額を大きく増やすことは難しい。

となれば、取り得る方策としては大きく二つとなる。一つは、他の社員の生涯賃金を減らしてでも、厚遇で入社した新卒社員の給与を年齢とともに引き上げていくというやり方だ。もう一つは、入社時こそ厚遇とするものの、その後は完全な成果給とするやり方だ。いずれにしても、高給で囲い込んだ新卒社員に従来の雇用モデルは当てはめにくい。

ただ、前者の場合は他の社員のモチベーションが下がり、不公平感から日本型組織の特長でもある団結力にひびが入りかねない。結果として会社全体の労働生産性の低下につながることも予想される。これは難しい選択肢だ。

他方、後者の場合は、一つの会社に長く勤めることによってキャリアを積んでいく、というモデルではなく、アメリカ型の転職でステップアップしていくスタイルといったほうがよい。後者を採る企業のほうが多いと予想されるが、これは結果的に、雇用の流動性をより高める結果を招き、「囲い込み」という目的からすれば失敗に終わることとなろう。優秀な若者は、ステップアップを目指して数年で退社してしまうかもしれないのである。

こうした〝リスク〟に目をつぶってでも、将来的な幹部候補あるいはヒット商品の開発の中心として残ってくれることを期待して、何の実績も上げていない若者に高給を約束する企業がどれぐらい増えていくだろうか。

優秀な人材をシェアするという発想

繰り返すが、私は終身雇用、年功序列といった日本型雇用モデルは人口減少とは相容れないと捉えている。こうした雇用モデルは、退職者数に見合った採用者数を安定的に確保できることが「当たり前」であった時代の産物だからだ。すなわち、どの世代の人数もさほど変わらない寸胴(ずんどう)型の社員年齢構成を前提としており、毎年若い社員の数が激減していく時代には無理がある。

業種によっても異なるが、現状でも社員の年齢構成を見ると50代がかつてに比べて多くなったという企業は少なくないだろう。若手が少なくなった分、ベテラン勢に頼らざるを得なくなってきているためだ。人口ボリュームの多い団塊ジュニア世代がすべて50代に達したならば、多くの組織において40代、30代、20代と年齢が若くなるにつれて人数が少なくなる傾向がさらに強まる。

裏返せば、なかなか新入社員が入ってこないという部署が増える。それはすなわち、かつてなら〝若手〟が担当していた仕事をベテラン社員が受け持たざるを得なくなるということである。勤務年数だけで責任あるポジションに就く人が増えれば業務が滞る。ベテラン勢が大多数を占める中で一律に賃金を上昇させていけば人件費が膨れ上がり、最終的には経営を圧迫することになる。

これでは終身雇用も年功序列も続きようがない。経団連の中西宏明会長やトヨタ自動車の豊田章男社長も「終身雇用の限界」を口にし始めているが、人口減少時代においては年齢や勤続年数にかかわらず、組織の利益向上を実現した社員が評価される仕組みに改めていかざるを得なくなるのである。

では、若い働き手世代が減っていく状況に対して、各企業はどう対応すべきなのだろうか。少子化で20年ほど先まで新卒者の減り具合は決定している。大企業や官公庁ですら、思うような人材を集め切れなくなる状況がほぼ避けられないということだ。それはこれまでのような景気動向によって左右される話ではなく、半永久的に続く。

人口減少に負けない思考法で考えるならば、若い人材の奪い合いをやめることだ。代わりに、発想を思い切って転換して、各企業が若手人材を「拠出」しシェアするのである。争奪戦に参戦して一時的に囲い込みに成功したとしても、ステップアップのためだとして辞められてしまうのでは、元も子もなくなる。

それよりも、多くの企業が協調してプロジェクトチームをいくつも創設し、それぞれの有望な社員を出向させるような形で、裁量の大きな仕事を任せたほうがよほど生産的である。こうした形をとったならば、本当に優秀な人材が独立してベンチャー企業やスタートアップ企業を立ち上げたとしても、業務提携の形でその能力を活用し続けることが可能となる。

すでに大企業の若手社員の中には、自ら動き始めているケースも出てきている。例えば、「ONE JAPAN」という大企業の若手有志の団体がある。これは、パナソニック、NTT、トヨタ、ホンダ、JR東日本、キヤノン……といった錚々(そうそう)たる企業の若手社員が、企業の枠を超えてコミュニティをつくり、新たなサービスや商品コンセプトを生み出そうとしている。まさに若手社員自身が草の根の活動を母体として動き出した好例だといえよう。

超高齢社会を迎えて、好むと好まざるとにかかわらず、多くの人が70歳頃まで働き続ける、長時間労働ならぬ「長期間労働」を迫られる時代がやってくることだろう。それは、新入社員として入社した会社が、自分が退職するまで存続するとは限らないということでもある。

これまで多くの日本人は、一つの会社の中で生涯を通じて〝閉じた働き方〟を当然のこととして受け止めてきたが、これからは開かれた場でいきいきと持てる力を発揮することを「当たり前」にしていかなければ、若者が少なくなるこの国でイノベーションは生まれなくなる。

5　本当に70歳まで働けるのか

50代の約３割が「老後資産ゼロ」

前節では若者の雇用をケーススタディーをしたが、次に高齢者の雇用について取り上げてみたい。若き働き手の不足解消の切り札とはならないが、意欲的な人は多いだろう。

「人生100年時代」と言われるまでに国民の平均寿命が延びた一方で、少子高齢化に伴い将来的な年金不安が払しょくできない。このため、老後の生活資金をどのように捻出するかは多くの国民にとって大きな関心事となっている。

これに対して政府が出した回答は、希望する人が70歳まで働き続けられるよう企業に努力義務を課すことであった。こうした内容を盛り込んだ高年齢者雇用安定法などの改正法、いわゆる「70歳就業法」が国会で成立した。

政府が「70歳現役社会」の実現を急いだのは、国民の老後資金の獲得策の意味合いばかりではない。背景には、元気な高齢者に長く働いてもらうことで、社会保障制度の担い手を増やしたいという狙いがある。

一方、国民の側には、こうした政府の思惑は承知の上で、長く働きたいと希望する人が少なくない。独立行政法人労働政策研究・研修機構の「60代の雇用・生活調査」（2019年）の速報値によれば、60代の32・1%は「年齢に関係なく、働けるうちは働きたい」と回答している。具体的な年齢に言及した人も35・5%に上り、このうち「66歳以上」の年齢を挙げた人は74・0%に及ぶ。

年金受給開始年齢が近付いた頃に年金事務所から送られてくる見込み額を見て、想像以上

図表2-6 退職後の生活のために準備できている資産

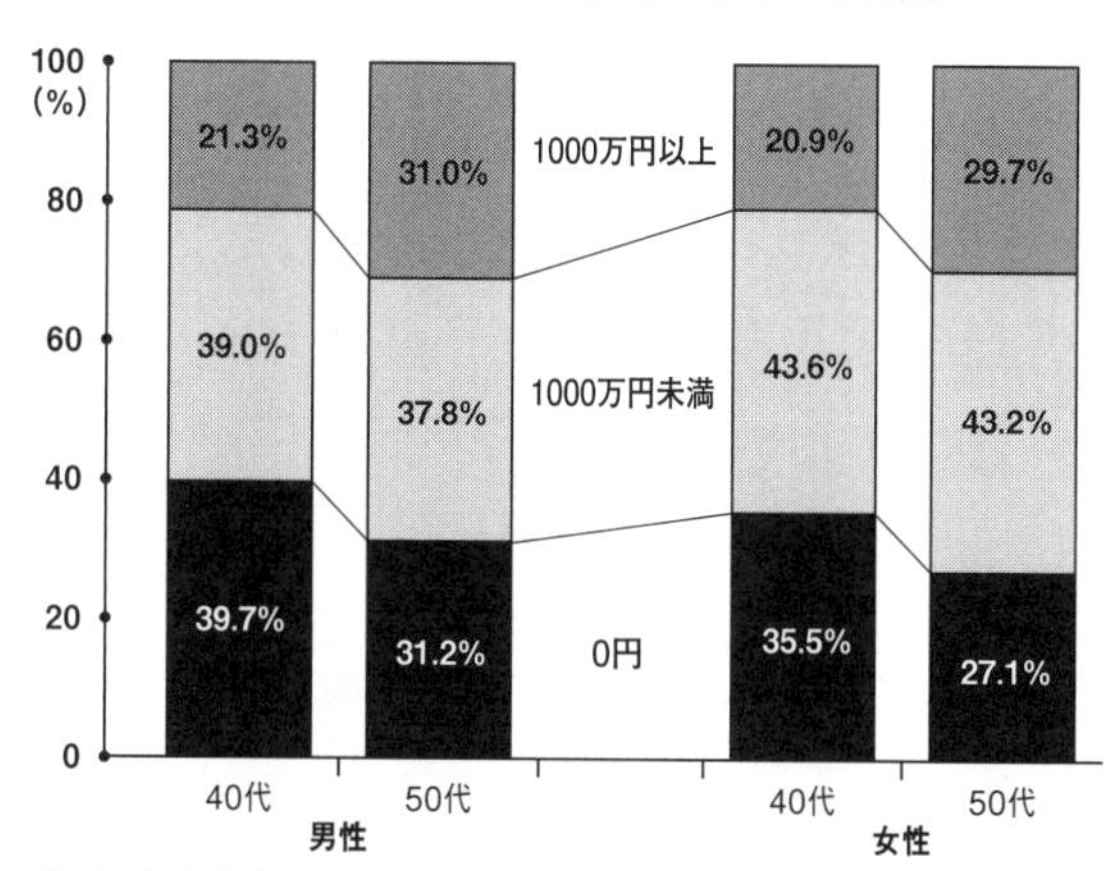

出典：経済産業省の産業構造審議会の資料

に少額だと感じる人が少なくないことが背景にある。自分の老後生活を具体的な数字として知らされることにより、漠然とした不安が一挙に「現実の懸念」に変わるということだろう。中には、社会とのつながりを絶ちたくないとして老後も長く働こうという人もいるが、多くは定年退職から受給開始年齢までのつなぎであり、あるいは年金受給額の不足分を賄(まかな)おうということが動機だ。

一方、非正規雇用が増えたことや正社員でも日本経済の長期低迷のあおりを受けて十分昇給しないまま定年となった人もいる。こうした人たちには現役時代に老後資金を貯め切れず、しかも低年金や無年金のため働き続けなければならないという事情を抱えた人も多い。経済産業省の資料によれば、40代の約4割、50代の約3割が「老後資産ゼロ」としている。これは驚くべき数字である（図表2－6）。

「70歳定年」の障壁

では、人口減少に負けない思考法からすると、高齢者の雇用はどう映るのだろうか。少子化で働き手が激減していくのだから、人手不足のある程度の解消策として活躍が期待される。もちろん本人の希望が前提ではあるが、長い老後の生活費のすべてを国に頼るのは現実的ではないということを勘案すれば、「働けるうちは働く」ということは重要である。

しかし、政府が法整備を進めたからといって「70歳現役社会」が実現するかといえばそう簡単ではない。政府は多くの人が職場を去る66歳以降の雇用について、60代前半の人と同様の「定年廃止」「定年延長」「継続雇用制度の導入」だけでなく、「他企業への再就職」や、「定年退職後にフリーランスになったり起業したりした人との業務委託」などといったメニューも選択肢として認めることにした。これでは70歳までの雇用は進まない可能性が大きい。例えば「他企業への再就職」をとってみても、多くの取引先を抱える大手企業とは異なり、圧倒的多数を占める中小企業では自社社員の再就職を依頼できる相手がいないところのほうが多いだろう。

他企業への就職あっせんをしてきた大手企業も、人材派遣会社に委託してきたケースが多く、再就職の実現にまで責任を持つことになったとしてもノウハウや態勢が整っているわけではない。一方、フリーランスや起業を選んだ人への業務委託についても、どれくらいの業務量や期間を委託すれば企業側が義務を果たしたことになるのかが曖昧だ。コロナ禍で業務委託そのものが減ってしまったように、景気動向の影響を受けやすいという難点もある。

政府が法改正にあたって企業側の理解を得るべく、60代後半の働き方の選択肢を増やしたことは、結果として「70歳定年」へと流れを促すことにはならず、むしろ高齢者の雇用の流動化を加速させるか、70歳まで働く機会を見つけ損なう人を増やす方向へと作用しそうだ。

40代で社員の絞り込みが行われる

こうした課題もさることながら、「70歳現役社会」実現の最大の阻害要因となりそうなのが、コンピューターの普及・発達に伴うビジネス現場の構造変化である。

前節でも述べた通り、いまや熟練した技能はすぐに陳腐化し、多くの企業では新たなデジタル技術に対応できる若手人材への切り替えを急ピッチで進めている。

産業の構造転換に向けた大リストラ時代の夜明けを強く印象付けたのは、2017〜19年に、みずほフィナンシャルグループ、三菱UFJフィナンシャル・グループ、三井住友フィナンシャルグループの三大メガバンクが相次いで発表した大規模リストラ計画だった。みずほが1万9000人分、三菱UFJが約9500人分、三井住友は4000人分の業務量削減と半端のない規模であった。

国内市場の縮小による経営環境の悪化を想定して、定型的な事務作業をソフトウェアに覚えさせて自動化するRPA（ロボティック・プロセス・オートメーション）の活用に取り組んでおり、余剰となる人員が増えてきたことが背景にあったとされる。

銀行は定型的な業務が多く、機械化を進めやすかったという産業上の特性があったということでもあるが、社会基盤ともいえる銀行業界にまで、テクノロジーの発達に伴う大リストラの波がやってきたことは、他産業にショックとともに焦りの気持ちを抱かせるのに十分だったようだ。

大企業を中心に、経営が黒字にもかかわらず、40代、50代のベテラン社員を対象にした「黒字リストラ」に踏み切る企業が目立ってきた。

東京商工リサーチによれば、コロナ禍前の2019年に早期・希望退職者を募集した上場

図表2-7 主な上場企業の希望・早期退職者の状況

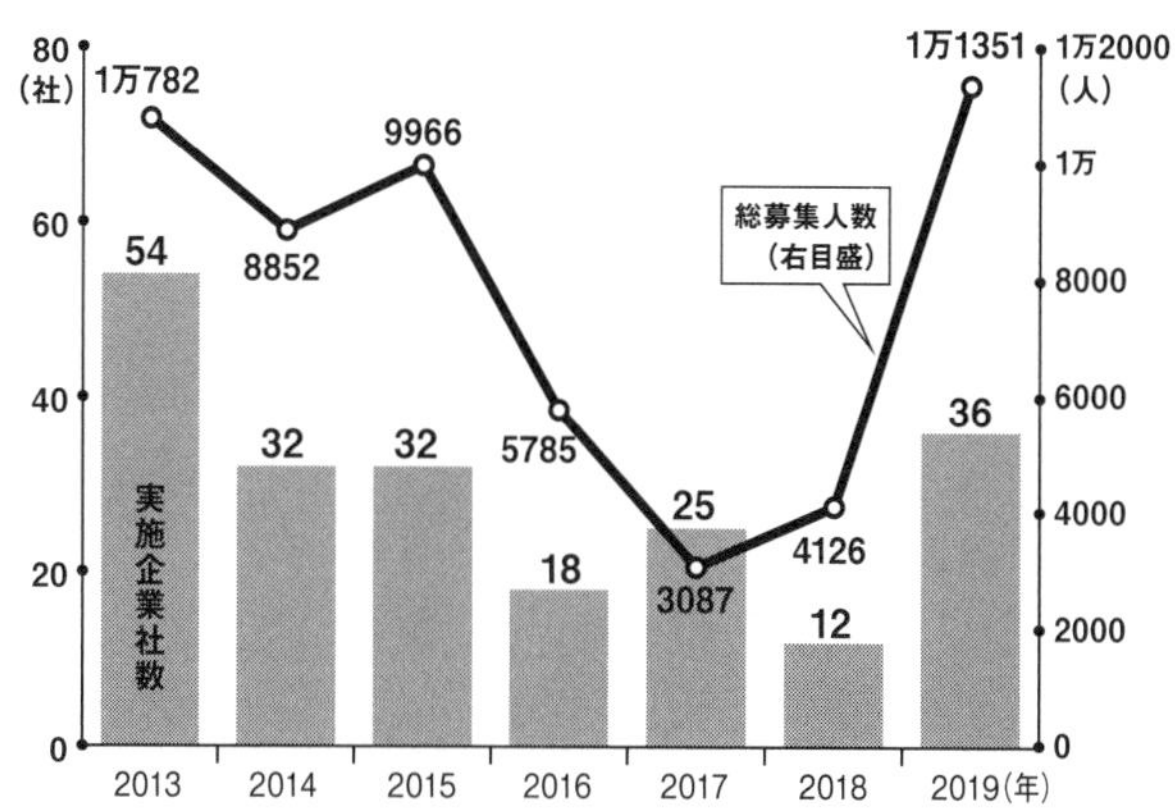

出典：東京商工リサーチ(2020年)

企業は述べ36社、対象人員は１万１３５１人に達し、過去５年で最多を更新した（図表２－７）。２０２０年も年初は小売や食料関連を中心に、直近の決算が増収増益であった企業が将来の市場縮小を見越した〝先行型〟の実施が目立った。その後は、コロナ禍による業績悪化で赤字企業の早期・希望退職者の募集・実施も増えたが、今後も〝先行型〟は増え続けると見られている。

「黒字リストラ」を進める企業の中には、同時に退職者数と同等規模の中途採用に踏み切るところもあった。将来を見据えた〝血の入れ替え〟である。終身雇用や年功序列といった日本型雇用モデルが通用しなくなってきていることはすでに述べた通りだが、事業展開に必要となる人材の確保に向けた各企業の取り組みの広がりが、雇用の流動化を加速させそうである。

一方、〝先行型〟が近年増えてきた背景には、近い将来に70歳までの雇用が義務化されることをにらみ、年齢的にセカンドキャリアに転じやすい40～50代の段階で、自社でこのまま70歳まで働き続けてほしい人材と、そうでない人とを選別しようとの思惑もある。

70歳までの一律の雇用は「時代への逆行」というのが企業側の本音だろう。もしそうだとするならば、「黒字リストラ」にまで踏み込む企業が広がる中で、当然のことながら高齢社員の雇用についても選別は厳しくなる。今後は個々の能力や生産性の高さを評価する流れが強まると認識しておいたほうがよい。必然的に若くから努力する人も増える。

皮肉を込めるならば、若い世代、高齢者ともにこのような形で雇用の流動化が進んでいくことのほうが、法律で70歳まで雇うように義務付けるよりも効果的だと言える。

リストラこそチャンスだ

メガバンク3行のリストラショックの際に感じたが、私は「リストラ」をそうネガティブに受け止める必要はないと考えている。これまではプロスポーツ選手の戦力外通告の如く、成績が上がらない〝使えない人〟といったマイナスイメージがついて回ったが、それは世の中が終身雇用を前提としていたからである。すでに終身雇用の終焉は始まっており、良し悪しを超えた時代の趨勢である。

雇用がもっと流動化して、若いうちからの転職を社会全体が当たり前のことと受け止めるようになったならば、大多数の人が仕事をどんどん変えていく、あるいは複数の仕事を掛け持ちすることとなる。それこそ「定年」という考え方そのものがなくなっていく。

一つの企業が同じビジネスモデルでやっていけるのは、せいぜい30年ぐらいのものだ。それに対して、超長寿時代を生きていく世代は、下手をすれば50年近くも働かなければならない。在職中に企業が倒産したり、構造不況による経営悪化で転職を余儀なくされるケースも増えるだろう。

こうした現実に目を背け、終身雇用を前提として自分の職業人生を一企業に委ねようとすること自体が〝極めて危うい発想〟であると認識したほうがよい。

そもそも終身雇用モデルは高度成長を果たした戦後の産物である。戦前までは日本の雇用は流動性が高かった。戦火で多くの職場を失ったという戦後の特殊事情のもとに出来上がった終身雇用がいつまでも続くというのは幻想であろう。国内市場が縮小し、以前のような経済成長が望めない今後の日本においては一つの会社で定年まで勤めあげることのほうが例外的な働き方になるのである。

今後、新卒入社した会社で生涯働く社員は、将来の取締役候補となるようなほんの一握りのエリートだけになるだろう。それ以外の社員は中途で転職していくことを前提としての採用であり、それなりの成果を求められるようになる30代半ばあたりのタイミングで、何らかの方法でスクリーニングされていく。企業が求める成果に応えられるスキルを多く持つ社員にはは残留のオファーや、ライバル会社からの引き抜きのオファーがなされ、そうでない社員には別の職場での活躍が勧められることが一般化しよう。

もはや、40代、50代で、定年までの年数を指折り数え、「あと何年働けば、老後の暮らしも何とかなるだろう」というのは甘い考え方だと言わざるを得ない。

先にも述べたように、「リストラ」という言葉には冷たい響きがある。会社に評価されなかったことへのショックや不満を抱きがちだ。だが、冷静になって考え直してみれば、勤務先の評価基準に合致しない、簡単に言えば馬が合わなかっただけで、能力を全否定されたわけではない。評価基準の合わない組織に残っていたところで、出世して給与が増える可能性は小さく、入社時にやりたいと考えていた仕事を任されるかどうかも分からない。

ビジネスシーンにおける技術革新は日進月歩であるし、一方で平均寿命が延び、われわれの老後はかつてなく長くなった。こうした現実を総合的に考えるならば、「年齢に関係なく働いてほしい」と思われるような能力やスキルを、年を取り過ぎる前に身に付け、自分の能力を評価してくれる新たな職場にさっさと移ったほうが成功確率は大きくなる。

そうした能力やスキルを持っているのかどうか、30歳を超えたあたりから、時折、客観的な視点を持って自分のキャリアを棚卸しして、戦略を立ててみる必要がある。営業畑を歩んできたのなら、そこで培ったノウハウを別の会社や業界で活かすことを常に考える。経理の職に就いてきたのなら、自分の経理の専門性をより高く評価してくれる会社を見つけていくといった具合である。もし、セールスポイントがないというのなら、それまでの人脈をいま一度見つめ直し、あるいは特技を身に付けるべく繰り返し学び直すことだ。

むしろ人手が圧倒的に不足する人口減少時代においては、生涯学び続けることは誰にとっても当然のこととなるだろう。年齢に関係なくさまざまな仕事にチャレンジせざるを得ないし、次々に登場するビジネスツールへの対応も不可欠となる。場合によっては、日本の国内マーケットを飛び出して新たな市場を開拓すべく、語学力や異文化の習得も求められるかもしれない。裏を返せば、自分の努力と才覚で新たな道を切り開くことができる時代の到来である。「リストラ」や勤務先の経営悪化による転職をネガティブに捉えて落ち込んでいる暇などない。

先にも述べた通り、定年の年齢が引き上げられるよりも、むしろ年齢を基準とした強制退職という考え方自体がなくなっていく方向へと社会は動いていくだろう。いまどき、定年制を当然としている国のほうが珍しい。働き手世代は激減していくのである。雇用の流動化が進めば、採用側も人材確保に必死にならざるを得ない。かつては転職を重ねるほど就業条件は悪くなっていくのが一般的だったが、むしろ今後は転職先のほうが厚遇というケースも増えるだろう。

定年退職を前提として、新卒で入社した企業にしがみつき、60代が近付いてから慌てて老後の人生設計を考えるのでは遅い。「リストラ」をポジティブに考え、十分に時間が残されている若い頃から準備を始めておくことが肝要なのである。

人口減少時代においては、どんな状況に置かれようとも、それを楽しむぐらいの発想の転換を癖付けるとともに、高齢になるまで「使い勝手のよい人材」として社会に役立てるよう努力を重ねることである。

第3章 マーケットの未来を見る力

第2章では、産業構造や企業経営、雇用といったビジネスシーンにおいて、これから何が起ころうとしているのか、国内マーケットの縮小や働き手世代が減ることに伴う影響にフォーカスしてケーススタディーした。

一方、これからの国内マーケットは規模の縮小もさることながら、少子化や高齢化の進行で年齢構成も大きく変化していく。「若者」の消費を中心に考えてきたこれまでの発想で臨んだのではとても太刀打ちできないだろう。

そこで第3章では、高齢化マーケットへの対応などについてケーススタディーを進めていく。

もとより「この業種は、このような取り組みがうまくいく」といったコンサルティングのような提言を行うつもりはない。また主たる産業を網羅しているわけでもないが、人口減少に負けない思考法の共通項を読み取っていただければと思う。

1　優先すべきは「内容」より「器」――高齢者マーケット①

自動販売機への補充が問題

国内マーケットの縮小をカバーする方策として、第２章では付加価値の高い商品を少量販売するモデルへの移行の必要性を論じた。だが、突如として転換を図ることが難しい業種も少なくないだろう。すべてが当てはまるとは限らないが、転換への〝時間稼ぎ〟、激変緩和策として、当面は増え続ける高齢者マーケットを掘り起こすことも選択肢となろう。

私は、令和時代とは企業が「高齢者対策に追われる時代」であり、「高齢者のニーズに応えていく時代」であると位置付けている。言い換えるならば、高齢者マーケットの掘り起こしは高齢者が暮らしやすい社会をつくっていくということである。その社会的意義は大きい。

では、高齢者マーケットに応えていくために何をすればよいのだろうか。まずすべきことは、高齢者の行動様式や「高齢者ならでは」のしぐさなどを知り、そのニーズを汲み上げることである。

その具体例をいくつか取り上げてみようと思うが、最初はわれわれの暮らしで非常に身近である清涼飲料水についてケーススタディーしてみよう。

私は、大手飲料メーカーに招かれて、経営幹部と懇談する機会を持ったことがある。飲料水業界も例外なく少子高齢・人口減少化の影響を受けているわけだが、大きな課題の一つが自動販売機に商品を補充する人手の確保だという。

飲料メーカーの大手各社はそれぞれに自動販売機を設置してきたため、それぞれに配送のトラックを手配し、補充を行ってきたのだという。この時間が少しずれただけで販売のチャンスを逸することとなる。例えば、スポーツ施設周辺に設置された自動販売機を考えてみれば分かる。試合や練習を終えた人たちが購入しようとする時間帯に、売れ筋商品が売り切れになっていたのでは、ライバル会社の自動販売機に客を奪われてしまう。

だが、これは各社とも同じ悩みである。そこで、メーカー各社が連携して共同配送できるところは協力し合おうということになったというのである。

足りなくなる人手をライバル関係を乗り越えて補おうという動きは素晴らしいが、高齢社会の到来に備えるならばもう一歩踏み込みたいところだ。高齢客の利用が多い場所に設置された自動販売機の場合、お金の投入口を改善することである。高齢になると細かいものがつまみにくくなる。新機種には一部見られるようになったが、コインを一つずつ投入するのではなく、まとめて投入できるようにしたり、キャッシュレス対応としたりする。自動販売機には商品のサンプルがディスプレイされているが、若者と同じとはいかないだろう。高齢者の目に留まりやすい位置に下げる工夫も必要かもしれない。

美味しさより、開けやすさ

ただ、こうした自動販売機の高齢化対応はほんの一部分に過ぎない。人口減少に負けない思考法で捉えるならば、〝本質〟は容器の開けやすさである。これは飲料メーカーに限らず、食品メーカー全体に言えることだ。ある意味、高齢社会での命運を分かつ重要ポイントともいえる。

飲料水に限らず、これまで食品を扱うメーカー各社は「味」で勝負をしてきた。消費者が美味しいと思う商品を開発しなければ売上は伸びないからである。私がお会いした大手飲料メーカーの経営幹部によれば、子供の頃に飲んだ飲み物で美味しいと感じた味は、大人になっても忘れられないという。

子供がどんどん増えていた時代には、いかに小中学生や高校生にヒットする新商品を開発できるかが、将来の売上高を決めてきたといってよい。各社とも新商品の開発部門に力を入れ、新しい味、パッションのある味を追求し、競争にしのぎを削り、さらにはインパクトのあるネーミングやパッケージの色合い、形状やデザインに工夫を重ねてきた。

むろん、こうした新商品の開発競争は今後も続ける必要がある。だが、国民の4割近くが高齢者となる社会が到来する日本においては、高齢者に愛される食品や飲み物を開発しなければ売上は伸びず、利益も増えない。

これまでの発想に立って、高齢者マーケットの開拓を考えるならば、高齢者に好まれる味や、高齢者の関心の大きい「健康維持」に役立つ成分の飲み物を開発しようという発想になる。もちろんそれも大事な視点ではあるが、この先の社会ではそれだけでは不十分なのだ。

一人暮らしの高齢者が増えると、缶や袋の開封に手間取る人が多くなるからである。どんなに美味しく、どんなに体に良い飲み物の開発に成功したとしても、口にできないのであれば味わうことはできない。

加齢に伴い、若い頃には何でもなかったことができなくなることは仕方がない。ペットボトルのスクリューキャップは意外に堅く、力を要する。若者ならなんなく開けられても、高齢者がひとりだけで開けるとなると、なかなか大変だ。缶のプルトップもそうである。誰でもすんなり開けられるわけではない。握力が弱くなった高齢者は、どうにか開けられたとしても、缶を支える力が弱く、開けた反動で中身が溢れ出したりする。こぼれるといえば、2リットル入りの大きなペットボトルも然りだ。コップに注ごうとすると中身が飛び散ることが多い。高齢者にとっては持ち上げるだけでも一苦労だ。清涼飲料水ではないが、飲み物ということでいえば牛乳などの紙パックなど、若い世代でも失敗することが少なくない。

蓋が開けにくいとなると何が起きるのか。欲しい商品を選びたい気持ちや、味の好みは二の次となる。開けやすい容器の商品に手が伸びることだろう。飲料水の場合、どれも開けられないとなれば、それこそ蛇口をひねって水を飲むということになる。これでは売上を伸ばすことはできない。

最近は袋詰めされた商品が増えている。容器の開けやすさに関しては調味料や洗剤、シャンプー、歯磨き粉、化粧品などあらゆる日用品について言えることだ。今後は容器を制した会社が、高齢社会を制するのである。

クルマの新領域「CASE」

高齢者マーケットの取り込みにおいて、高齢者のニーズやしぐさなどを知ることの大切さを前項で示したが、もう一つ、自動車を例に挙げてケーススタディーしよう。

最近、「CASE（ケース）」という言葉をよく耳にするようになった。Connected（コネクティッド）、Autonomous/Automated（自動化）、Shared（シェアリング）、Electric（電動化）の四つの頭文字をとったものだ。これらの新領域で技術革新が進むことで、ここ数年間に自動車産業に大変革がもたらされ、クルマの概念が根底から変わる可能性があるとされる。

例えば、すべてのクルマがITによってあらゆるサービスとつながることで汎用性の高いプラットフォームが構築されたとすれば、クルマは単なる移動手段ではなく、サービスそのものへと進化する。ドライバーの体調を感知して空調を調整したり、体調が急変したことを察知した際には救急通報をしたりすることもできるようになる。

とりわけ関心を集めているのが、自動運転だろう。世界中が技術開発に力を入れており、人口減少に伴う課題を解決する道具になるレベルではないものの、A地点からB地点まで人を運ぶ移動ツールとしてならば、実用化まであと少しのところまできていることはすでに紹介した通りだ。

高齢者が増える日本社会において自動運転とは、車を運転することがままならない人たちの「交通手段」であり、先にも述べたトラックドライバーの人手不足を部分的に解消する方策として期待されている。

高齢ドライバーが増えて道路の逆走や、アクセルとブレーキの踏み間違えによる急発進といった事故が後を絶たない。また、幹線道路への合流などに手間取り、渋滞の原因をつくっているケースもある。ＡＩによる自動運転が普及すれば交差点や合流ポイントでの走行の流れはスムーズになるだろう。こうした事故や渋滞の解消という意味においても、クルマのコンピューター化には期待したい。

いまの車は、乗り降りするのも一苦労

だが、人口減少に負けない思考法からすると、走行の安全性の向上だけでは物足りない。同時に、開発のポイントとしては乗り降りのしやすさが求められる。

身体機能が衰えてくる高齢ドライバーにとっては座席の位置が高すぎても、また沈み込むように座らなければならないタイプであっても、乗り降りするのは一苦労だ。助手席や後部シートに乗る人も高齢者である可能性が大きいことを考えれば、福祉用のクルマにあるように、運転席も含めて、乗り降りの際には椅子ごと横に回転するような機能を標準装備とする

ことを考えるべきである。ドアにも高齢者の腕力や握力で開閉できるアシスト機能を装備することが求められる。

また、用途も若い頃のように高速道路を使って遠くにまで出掛けるという機会は減り、近所での買い物や通院に使うという人が増えるであろう。現在は小型バスかと見間違えそうな大きな乗用車が増えているが、家族構成も一人暮らしか老夫婦のみという人が増えることを考えれば、むしろ自宅近くの細い路地を走りやすいサイズの乗用車の選択肢の充実も求められよう。

いろいろなシグナルに気づくタイミングも若い頃より遅くなる。音や光、振動など乗車した人が一番気付きやすい手段を選べるようにすることや、メーターの表示パネルの文字サイズを大きくするといった工夫も必要だ。

こうしたちょっとした気遣いこそが、高齢社会において顧客ニーズの掘り起こしとなり、付加価値を向上させることにつながるのである。これは自動車メーカーに限った話ではない。高齢者マーケットを取り込もうとするならば、加齢に伴う身体的衰えへの対応をはじめこの年齢層のニーズをしっかり汲み取ることが不可欠であろう。今後は世界各国も高齢化が進んでいくわけだから、高齢者のニーズにきちんと応えた商品を開発しさえすれば世界的な大ヒット商品となる可能性もあるということだ。これをみすみす見逃す手はない。

高齢者のニーズを把握する

問題は高齢者ニーズをどう把握するかだが、一番簡単な方法は高齢者を開発メンバーに加えることである。リタイアした年配の元技術者などを招き入れ、自分が使ってみたくなる商品を考案してもらい、それを若きエンジニアが形にするのだ。

これまで開発の現場といえば、若い世代が中心となってモノづくりをしてきた。だが、年を取った人のしぐさや考え方、価値観というのは若い世代ではなかなか考えが及ばず、理解が進まない。消費者と同じような年齢の人のほうが気付くことも多いだろう。

すでに引退した高齢の元社員の活用はいろいろな分野で進んでいる。例えば証券会社だ。複雑な金融商品が多く、しかも値動きの幅が大きいという特性もあるからだろう。定年退職後に再雇用したベテラン社員を年配の投資家の担当とし、より丁寧な商品サービスを行うというケースが増えてきている。経験豊富であるため年配の投資家のペースに合わせた説明ができるだけでなく、年が近い分、共通の話題も多く信頼関係も築きやすいという利点もあるようだ。

「高齢者マーケットのことは高齢者に任せる」という姿勢を続けることは、高齢者の就労促進にもつながり、新しいヒット商品誕生の近道ともなる。

2 街のお店の勝ち残り方――高齢者マーケット②

アマゾン、家電量販店に負けない電器屋さん

次に、高齢者向けの販売スタイルについてケーススタディーしよう。

いまや家電量販店が幅を利かせ、アマゾンや楽天などのネットによる通信販売が主流になっている。こうした販売会社が盛況なのは、製品を比較でき、価格が安く、しかも玄関先に届けてくれるという若い購買層が重視するサービスに応えているからだ。

これに対して、高齢客はどうかといえばニーズが全く異なる。むろん価格が安いに越したことはないわけだが、それ以上に重要なのは融通が利くことである。高齢社会が進むほど、街の電器店がもっと評価されることとなるだろう。

若い消費者が主流である時代においては、家電量販店やネット通販に比べて、売り場面積

が小さくて多くの製品を揃えることができず、値段を安くすることに限界のある街の電器店は圧倒的に不利だ。それでも潰れずに残っているのはなぜなのか。答えは、家電量販店やネット通販では提供できないきめ細かなサービスを担い、高齢客などを中心に重宝がられてきたからである。

我が家の体験談をご紹介しよう。子供がまだ小さかった頃のことだが、突如として洗濯機が故障したことがあった。それも運が悪いことに、故障が分かったのは夕食の支度で忙しい夕方のことであった。子育て中なので洗濯物は山のように積みあがっている。途方に暮れそうになった妻が、ダメ元で近所の家電店に電話をすると、「近所の方のお困りごとには即座に対応させていただきます。いまから伺います」と30分後には新製品を運び込み、備え付けまで完了してくれたのである。これは大変ありがたかった。いまもこの電器店を贔屓にしていることは言うまでもない。

こうした街の電器店は、量販店で買った製品であっても、使えるようにするためのセッティングや故障の修理に応じるところが少なくない。顧客との接点を持たないネット通販業者は当然のこと、購入時は対面でも配送から先は運送業者や別会社に修理サービスを分担する家電量販店でも、こうした顧客の自宅にまで出向いて寄り添うサービスは提供できない。親切さと機敏性という役割に活路を見出し、大型競合店と住み分けているのである。

東京郊外の東京都町田市に「でんかのヤマグチ」という地域密着型の電器店がある。近隣に六つもの大型家電量販店が進出し、深刻な経営難に陥った際、テレビを量販店の2倍近くの価格で販売するといった具合に粗利率を高くすることで利益率を確保する戦略に出たのである。それでも顧客は同店での購入をやめなかった。なぜわざわざ高い値段で買うのだろうか？ それは、同店は徹底した御用聞きビジネスを行っているからだ。テレビの配線や電球の取り換えなどは当然のことながら、庭木に水やりをしたり、通院時に病院までクルマで送迎したりとお得意様へのサービスを徹底しているのだという。

ここまでのサービスをしてくれる電器店が近所にあったら、若い世代だって心強い。ましてや、切れた電球を取り換えるのでさえ苦労している高齢者世帯にとってはなおさらであろう。

日本では80代以上の一人暮らしの高齢者が増えていくが、一方でインターネットにすべてのモノをつなげて制御するIｏTなどの技術もどんどん普及していく。パソコンはもちろん、テレビや洗濯機、電話など購入者自身が配線や初期設定など、かなり能動的に対応しないと動かない。かつてのようにコンセントに電源を差しさえすれば使えるようになるわけではないのである。

今後は多くの〝家電弱者〟が生まれることだろう。高齢者マーケットが拡大するほど、買った製品を自宅ですぐに使えるようにしてもらいたいというニーズは大きくなるのである。

これは電器店に限ったことではない。家具店もそうだ。大型ホームセンターなどでは、組み立て前の状態で販売し、顧客にそのまま持ち帰ってもらうスタイルが一般化している。電動ネジ回し機まで売っている家具店も珍しくない。組み立てられていない状態であれば、大きな保管倉庫を用意する必要もなく販売価格を抑え込めるからだ。

だが、いざ自宅で組み立てるとなると苦労する。外国製も多く、同封されている組み立て図もいろいろな言語で書かれており、分かりづらいものが少なくない。ましてや一人暮らしで手伝ってくれる人がいないとなれば、小さな棚一つだって悪戦苦闘する。これが高齢客となれば、そもそも組み立て式のものを買わない人が多くなる。割高であっても組み上がった商品、あるいは組み立ててもらうサービスを選択することとなるだろう。

顧客の話をとことん聞くカメラ店

高齢社会の販売スタイルにおいて、「融通が利く」と並んでポイントとなるのが丁寧な商品説明だ。高齢の買い物客が増えるにつれて、販売スタイルは効率性から丁寧さに移ることが予想される。年を取ると情報をキャッチする力はどうしても衰える。分かりやすい商品説明を必要とする客も増えるだろう。

いち早く対応に乗り出したのが証券会社である。高齢顧客専門の営業担当部署を設けたのだ。

投資家は溢れんばかりの情報を瞬時に分析して「買い時」「売り時」を判断することが求められる。しかしながら、高齢になると情報を俯瞰的に把握することが難しくなりがちだ。このため、専門の営業担当が推奨銘柄についての情報を提供するなどサポートしようというのである。証券会社によっては、高齢顧客とのコミュニケーションを図りやすくするため、専門の営業担当部署のメンバーにはあえてベテラン社員を起用するところもあるという。

証券会社のリテール業務としては特別なことをしているわけではないが、一度に動く金額が大きく、ハイリスクハイリターンの商品特性であるがゆえの対応ということだろう。

特段、高齢顧客向けというわけでもないが、丁寧な販売対応ですでに顧客獲得に成功している事例もある。栃木県大手のカメラチェーン店「サトーカメラ」だ。

顧客の要望をとことん聞く姿勢を貫き、顧客満足度を向上させることで大手量販店の攻勢に負けず、現在の地位を築き上げてきた。一人の顧客に対して1時間の接客時間をとるのは当たり前で、5時間接客したケースもあるという。

これらのケーススタディーでお分かりいただけたかと思うが、人口減少に負けない思考法からすれば、高齢社会にとって価格が安いということだけがセールスポイントになるとは限らないということになる。むしろ、値段としては大型量販店やネット通販で買うより高くついても、融通が利き、分かりやすく説明し丁寧に接客してくれる街の個人商店などのほうが、長くその製品を使い、アフターケアまでトータルして考えると「安い買い物」になるということだ。そして何よりも、近くに専門家がいることが大きな安心感であり、アドバンテージなのである。

いうまでもなく、大型量販店やネット通販が、高齢社会にそぐわない存在になるわけではない。高齢社会になっても若者がゼロになるわけではない。多少の手間がかかっても、価格の安いほうを選ぶ消費者は、大型量販店やネット通販を利用するだろう。また、こうした販売会社も、高齢客が増えてくれば新たなサービスを提供するようになるだろう。

ただ何度も繰り返すが、今後の国内マーケットの主流は高齢者になり、しかも80代以上の一人暮らしが増えるのである。その存在を無視したのではビジネスは成り立たない。それぞれの年代が買いやすい販売スタイルを考えていくことが不可欠となる。

三越、高島屋を見直せ

高齢になると買い物の行動スタイルはどう変わるのだろうか。小売業など顧客とじかに接する業態の場合、店舗の〝居心地の良さ〟や入りやすさが重要となる。

大型スーパーマーケットの食品売り場に行くと、そのスケールの大きさに圧倒される。ビールやジュースが箱積みされ、牛乳や精肉売り場では見渡す限りさまざまな種類の商品が大量に並べられている。乾物にしても、菓子類にしても、主要メーカーのものはほぼすべての種類が置かれているような印象だ。

ファッションの専門店でも、色とりどりの洋服が目移りするほどに並んでいる。ライバル店との競争を勝ち抜くためには品揃えが豊富なほうが集客に有利だという考え方に基づくディスプレイだろう。

しかしながら、人は加齢に伴い認知機能が衰え、判断力も鈍ってくるものだ。物事を自分で決めることが難しくなるのである。それは買い物においても例外ではない。

若い頃は、品揃え豊富なほうが、選択肢がたくさんあって魅力的だったとしても、年を取ると事情は違ってくる。

商品が陳列棚いっぱいに積みあがっていることはありがたいことではあるのだが、同時にどれを選んだらいいのか迷ってしまい、頭痛の種にもなるのだ。品揃え豊富なことが、一概に「良い店」とは言えなくなるのである。

もちろん、高齢者マーケットの獲得のために品揃えを減らせなどと言うつもりはないが、人口減少に負けない思考法からすると、店員が買い物のサポートをしてくれる売り場が、高齢の買い物客にとって居心地の良い、入りやすい店舗ということになる。

高齢社会において居心地の良い店舗の参考になりそうなのが、三越や伊勢丹、高島屋、大丸、松坂屋のような老舗百貨店の接客である。伝統的に中高年に人気を博してきた秘訣は、その暖簾（のれん）もさることながら、教育が行き届いた店員の丁寧さや親切さである。

日本人は店員からの声掛けを嫌う人が多いとされるが、品定めに迷っている客に絶妙なタイミングで声を掛け、用途や要望をしっかり聞き届ける。決め切れずにいる人に対しては「お客様にはこのお品がよろしいかと思いますよ」と、一押しをする。

これら老舗百貨店の接客は、販売というよりコンサルタントに近いといってよい。個別のニーズに対し、具体的な解決策（買い物）をはっきりと示すというサービス形態だ。

老舗の百貨店といえば、大型スーパーマーケットやネット通販など各時代の新興勢力の台頭を受け、かつての〝小売業の王者〟の時代と比べれば勢いを失いかけてもいるが、高齢社会においては再び脚光を集めそうである。

「70代が入りやすい美容院」が求められる

店舗の〝居心地の良さ〟は、店舗への入りやすさとも密接に関係する。そうした意味では「店構え」もポイントだ。

例えば、客層が大きく分かれる美容院についてケーススタディーしてみよう。美容院に滞在している時間をリラックスするための時間として活用している人は多い。これまでも〝居心地の良さ〟をセールスポイントにする業種であった。

しかし、美容業界が高齢社会への対応で他の業種に先んじているかといえば、そうでもない。最近の美容院を見ると、経営者のこだわりを感じさせるファッション性豊かな外観の店舗が目立つ。中には美容院だと気が付かないほど凝(こ)った店構えのところもある。ついでに言うならば、こうした傾向は飲食店なども同じだ。

若い客層をターゲットにしているのであろう。だが、あまりに凝った店構えとなると高齢者にとっては敷居が高くなる。自分が希望する髪型への注文に応えてくれるのかなどと考え、入る前にしり込みをしてしまうからだ。これでは、今後増える高齢客を取り込むことはできない。

いろいろな店構えの美容院が存在することを否定するわけではないが、若い世代が激減していくことを考えるならば、なるべくウイングを広げたほうが有利だろう。もし、多店舗経営ならば、一部は高齢顧客を中心に据え、年配のスタッフを配置するなど〝入りやすさ〟を重視した店構えとすることだ。

美容院や理髪店は、高齢社会においてこれまで以上の大きな存在になる。オシャレをすることで人は活性化するからだ。高齢社会において美容院とは身だしなみを整える場所であるだけでなく、精神的にも若返るホットステーションとなるだろう。ただでさえ高齢者が増えるのに、その多くが沈んだ顔をしていたのでは、日本からますます活力が失われる。年を取っても身だしなみに気配りが行き届いた人が増え、それを披露できる〝舞台〟ができれば、高齢社会の風景は多くの人がイメージするものとは全く違うものとなることだろう。

美容院や理髪店が〝高齢者の輝きを取り戻す場所〟としての役割も果たすようになったならば、付加価値も大きく高まるだろう。

3 大学はどう試練を乗り越えるか——若者マーケット①

固定観念を脱したランドセルメーカー

ここまで、高齢者マーケットとの向き合い方についていくつかケーススタディーを重ねてきたが、一方でなかなか高齢者マーケットへシフトできない産業もある。例えば、出生数減の影響をもろに受ける教育関連産業だ。そこで次は少子化が進む時代の子供マーケットへの対応策をケーススタディーとして考えてみたい。

といっても、子供数をどう増やすかといった「少子化対策」ではない。出生数の回復が簡単に望めないことはすでに述べた通りだ。年々マーケットが縮むだけに、従来のやり方では行き詰まる。こちらも新しい発想がどうしても必要となる。

子供向けマーケットについては、少子化が平成時代に入った頃から顕在化したため、その対応もかなり進んできた。

参考になる事例も多い。例えば、玩具メーカーはファミコンを開発した任天堂に見られるように、機敏に「大人向け玩具」にシフトした。プラモデルなどもかなり本格的なものが増え、子供の頃にはおこづかいで買えなかった〝憧れの一品〟を大人になって買い求める人は少なくない。文房具も同じで、大人になって高価なものに買い替える人がいる。

小学一年生の定番商品であるランドセルメーカーは、素材の品質をグレードアップした高付加価値化作戦に出た。孫の数が減った祖父母にとっては、いまやランドセル購入は一大イベントである。入学祝いとして高価格のものをプレゼントするケースも少なくない。

ランドセルの場合、思わぬ方向にも販路が拡大した。日本人には小学生が背負うイメージしかないが、ハリウッド女優が背負った姿がメディアに登場したのをきっかけに、海外セレブたちの関心を集め、欧米では「大人のカバン」としての愛用者が増えたのだ。

私が子供の頃のランドセルといえば、男の子は黒色、女の子は赤色と相場が決まっていたが、いまは色とりどりである。豊富なカラーバリエーションが人気を集めて、外国人観光客が日本土産として買って帰るケースも多い。観光客向けに豪華な刺繍入りのファッショナブルなものも登場している。固定観念を解き放った好例といえよう。

定員割れ大学、194校

その一方で、少子化の到来が分かっていながら逆行するような動きを見せているのが大学である。文部科学省の「学校基本調査」によれば、大学数は一貫して増えてきた。1949年は178校だったのが、1999年には622校、2019年には786校だ。大学経営、とりわけ地方大学の経営に苦境が広がっている。

日本の場合、大学への入学の多くは高校卒業時か、受験浪人した場合でもその1～2年後だ。18歳人口の減少は受験者の総数の減少、すなわち授業料収入や受験手数料の減少を意味し、大学の経営危機に直結する。ちなみに社人研によれば、18歳人口は2020年時点で116万人ほどだが、2040年には約88万人にまで減る。

毎年の年間出生数は分かっており、こうした将来予測は簡単に計算できるにもかかわらず、文部科学省は大学の新設認可を続けてきたのだから需給バランスが崩れるのも当然である。

すでに経営破綻した大学も登場し始めた。2000年以降で14校が倒産。2013年以降で拾い上げても、三重中京大学（2013年）、聖トマス大学（兵庫県、2015年）、神戸夙川（しゅくがわ）学院大学（２０１５年）、東京女学館大学（２０１７年）、福岡国際大学（２０１８年）といった名前が挙がる。

日本私立学校振興・共済事業団の「２０１９年度入学志願動向」によれば、２０１９年に「入学定員割れ」した私立大学は１９４校に上る。すでに全体の三分の一にあたる33％が必要な学生数を集められなくなってきている。〝倒産予備軍〟が少なくないということである。

文科行政のビジョンのなさが招いた結果ではあるが、いまさらながら人口減少に悩む地域に立地する小規模大学を中心に危機感が強まっている。

地方大学の場合、大都市部にある大学のように全国各地から受験生を集めることは、一部の例外を除いて難しい。多くは所在する道県かその近隣県に在住する受験生が入学することになる。それぞれの地域の年間出生数を調べれば、18年後のマーケットの縮小ぶりが大方把握できる。しかも出生数は都道府県ごとに大きなばらつきがあり、18歳人口の減少は大都市圏から離れるほどスピードが速い傾向にある。

国土交通省の「国土のグランドデザイン２０５０」が、三大都市圏を除く地方において大学が立地する自治体の人口規模を調べているが、17万５０００人規模の自治体には80％の確率で大学が存在しているのに対し、12万５０００人規模の自治体になるとその半数には大学がない。これは逆の言い方をするならば、周辺自治体の人口が12万5000人を割り込むと、学生を集め切れなくなり大学が存続し得なくなるということだ。

現状の主な対策は、外国人留学生と学び直し

こうした経営の危機に際して、多くの小規模な地方大学がマーケット拡大のための努力をしていないわけではない。期待をかけているのが、外国人留学生である。文部科学省も積極的に受け入れを進めてきた。しかしながら、外国人留学生の場合には課題もある。純粋に勉強するために来日する人が大半なのではあるが、当初から就労を目的として、入学直後に行方不明となるなど不法就労の温床となっているとの指摘が後を絶たない。

外国人留学生と並んで、大きな収入の柱にしようとしているのが、社会人の学び直しだ。これには二つのパターンがある。一つは、高齢化で人数が増える高齢者の取り込みである。いわゆる生涯学習だ。「セカンドキャリア」をうたって、通学に便利な繁華街のビルに教室を構え、文化や歴史、芸術などといった教養を身に付けられるコースを設ける大学が目立つ。もう一つは、勤労世代のステップアップをサポートするためのリカレント教育である。第2章でも言及したように、人口減少社会では雇用は流動化せざるを得ない。企業内教育が

下火になっていることに加え、将来的な転職を念頭に置いて、仕事に役立つような技能を身に付けたり、資格を取得したりする機運の盛り上がりが予想される。そうしたニーズの受け皿として大学への期待も大きくなっている。

だが、留学生や、学び直しのために大学の門を叩く社会人の数には限度がある。受講する授業の数も正規の大学生に課せられる履修科目数に比べれば少ないため、授業料も同じ額とはいかない。18歳人口の減少を穴埋めするには収入額が違い過ぎるということだ。18歳人口の目減り分をカバーしようとすれば、大学進学率が100％近くにまで上昇するか、高齢者も含めた幅広い世代が大学受験する社会に転じるかであろう。だが、安くはない授業料負担や個々の学力、受験勉強に充てる労力などを考えると現実的とは言えない。

「地域密着の戦略」はやがて行き詰まる

こうした状況を踏まえて、小規模な地方大学が生き残りをかけて推し進めようとしているのが「特化戦略」だ。立地する地域の特長やそれぞれの得意領域を前面に出し、大都市部の有名大学との差別化を図ろうというのである。

文科省がグローバルな取り組みを行う大学と、ローカルな取り組みを行う大学を仕分けして、それぞれに特色を持たせる方針であることから、地方創生政策に乗って「地域密着型」を打ち出す大学が多い。

これは東京圏や関西圏への若者の流出を阻止したい人口減少県の県庁の思惑とも一致しており、地方国立大学においても「ローカル色」を強めているところが増えている。

私が経営協議会委員と客員教授を務める高知大学などその代表格だ。「スーパー・リージョナル・ユニバーシティ」、すなわち全国で最も地域に密着している大学を目指すと宣言し、2015年に「地域協働学部」を新設した。地域のリーダーとなる人材を育成しようということだ。行政機関や地元企業、団体とも連携しながら、実践的な研究教育を展開している。さらに、減り行く18歳人口だけをターゲットにするのではなく、社会人教育の門戸も広げて県民全体を巻き込んだ「正真正銘の地域大学」を目指そうとしている。

高知大学に限らず有力な地方国立大学が地域にコミットするというのは、研究教育機関としての役割はもちろんのこと、地域の活性化にも好影響を及ぼすだけに方向性としては悪くない。「少量生産・少量販売」で付加価値をつけるという、人口減少時代に求められる新たな経営モデルとも合致する。

東京圏や関西圏の有名大学に進学しても、就職先を出身地の県庁や市役所、有力企業に求める学生は多い。ならば、端(はな)から地元の大学に進学して、学生時代を通じて故郷の課題を理解し、地域に人脈を根付かせるという選択肢があってもよいはずだ。

しかしながら、人口減少に負けない思考法からすると、「地域密着型」は理想論に終わる可能性もある。もう少し強い言い方をするならば、墓穴を掘ることになりかねない。

高知大学を例に挙げるならば、社人研によると高知県の人口は２０１５年に72万８２７６人だったが、２０３０年には15％ほど減り61万４４４９万人、２０４５年には31・６％減の49万８４６０人にまで減ってしまう。18歳人口もこれに合わせて先細りとなる。

特定年齢の顧客をターゲットとした「地域密着型経営」は、人口が増えていたか、せめて横ばいの時代におけるモデルである。マーケットが縮む一方の状況下では特化すればするほど顧客である学生の確保、開拓は難しくなっていく。

これは大学だけではない。地域密着型の金融機関やバス会社など、企業名に地元県の名称がついている企業はすべて当てはまる課題だ。県の名称を名乗ることで地元企業としての存在感を示してきたことが、人口減少社会ではかえって仇(あだ)になりかねない。こうした企業はどんなにマーケットが縮んでも県民向けサービスをやめるわけにはいかない。最近は、新規の顧客を獲得せんがために県境を越えて東京都などに営業エリアを拡大するケースも見られるが、ローカルのイメージを残したまま他地域で成果を上げることは難しい。倒産の危機に瀕している地方銀行が多いのも、こうしたことが一因だ。「地域密着型経営」の大学を目指せば、同じ轍（てつ）を踏むことになる。

地方国立大学の場合、さらに考えなくてはならない点がある。小規模な地方私立大学とは違い、入学者は全国各地から集まってくる。高知大学などは他の都道府県からの入学が多く、高知県出身者は、全体の4分の1しかいないというのだ。残る4分の3は全国各地の出身者なのである。「どうしても国立大学に入学したい」と考える人は、いつの時代も一定の割合で存在するからである。

地方国立大学の生き残る道

こうした状況を打開するには、「地域密着型」の「地域」を捉え直すことだ。北海道出身や鹿児島県出身の学生にとっての〝地元〟は北海道であり、鹿児島県である。少なくとも高知県ではない。高知県外の出身者が、それぞれの地元自治体や地元企業に就職していくことを考えたならば、育てるべきは「高知県のために役立つ人材」ではなく、どこの地域かにこだわらず「地域の課題解決に役立つ人材」でなければならない。

むしろ、ここにこそ地方国立大学の生き残る道がある。高知大学以上に他の都道府県からの入学者比率が高い国立大学はある。それぞれの国立大学が立地する地域の特徴を活かし、特産品や地元企業が持つ技術力に焦点を当てて地域の企業などと連携して、それぞれに「地域に役立つ人材の育成」を掲げるのだ。地方国立大学は、「故郷のために貢献したい」と考える受験生が日本中から集まる際の受け皿になるのである。

18歳人口の激減スピードを考えると、いずれすべての都道府県に国立大学が存在することすら難しくなる。次のステップとしては、国立大学の経営統合を考えざるを得なくなるだろう。

一つの国立大学法人が複数の大学を運営できる「1法人複数大学制度」（アンブレラ方式）を導入する改正国立大学法人法が成立し、文科省も法人統合に舵を切った。経営力のアップや教育・研究分野の強化を目指すのが狙いだ。

県境を越えた国立大学の法人統合としては、2020年4月に名古屋大と岐阜大の両運営法人を統合した「東海国立大学機構」が全国初のモデルとして発足した。国立大学も生き残りを懸けた正念場を迎えたといってよい動きだ。

ところが、日本において公的機関の合併話となると、東北や四国、九州といった同一エリアの中での再編が模索されがちである。小さな県ほどそうした傾向が強く、私立短期大学を含んだ県内各大学の連携を図ろうといった動きを見せているところもある。同一エリアであれば、地域特有の課題や相手の経営事情を知っており、話を進めやすいということだろう。だが、人口減少が課題となっている以上、状況が似た近隣県同士がくっついたところで道が開けるわけではない。狭い日本において、都道府県単位でものを考える発想はそろそろやめたほうがよい。

地方国立大学が18歳人口の激減に対応しようと思うならば、旧帝国大学や3大都市圏に存立する大学を除く、すべての地方国立大学を統合する「地方国立大学機構」をつくり、〝オールジャパン大学〟を名乗るぐらいの大胆さがあってよい。

例えば、類似学部は近隣県にいくつかあっても競合するだけだ。それよりもエリアも考慮しながら統廃合し、それぞれの看板学部についてはさらに拡充したほうが効率的だ。さらに、学生が4年間の在学中に、自分が学びたいキャンパスを選べるようにしたり、研究のみを行うキャンパスがあったりしてもよい。

もし、〝オールジャパン大学〟が人口減少時代に浮上してくる諸課題への対策を研究し、それに対応し得る人材を育成したならば、東京大学や京都大学のような、すでに伝統とステータスを兼ね備えた大学とは異なる社会的評価やポジションを確立するだろう。

4 鉄道会社が生み出せる新たな需要――若者マーケット②

「座席指定の有料ライナー」だけでは定期券客の減少は補えない

少子化による影響は、通勤・通学客が減る公共交通機関にも及ぶ。鉄道やバスの廃線は止まらず、国土交通省の『交通政策白書』（2019年）によれば、2008年から2017年までに全国で310・7キロもの鉄路が姿を消した。路線バスも同期間に1万3249キロが廃止となった。

こうした鉄道やバスの廃線といえば、乗降客が少ない人口激減県の課題であった。乗る人が減って運行本数が削減されると、「利便性が悪い」となってマイカーで移動する人がさらに増え、ますます利用客が減るという悪循環が続いた。

だが、無縁だと思われてきた大都市圏の鉄道会社も今後は安泰とはいかない。さすがに即座に廃線を迫られることにはならないが、こうした公共サービスに与える影響についてケーススタディーしてみよう。

大都市圏の鉄道会社の場合、ＪＲも私鉄も通勤時間帯には数分と間隔を開けずに電車を走らせる過密ダイヤである。５年ごとに実施される国土交通省の「第12回大都市交通センサス分析調査」（２０１７年）によれば、首都圏の乗車人員は通勤目的が２０１５年時点で６８２万人を数え、５年前の２０１０年時点より53万人増えた。通学目的は１５６万人で４万人減った。近畿圏も通勤目的は３万人増の１８７万人、通学は横ばいの61万人だ。

首都圏も近畿圏も20代と40代の女性の増加が目立つ。女性の社会進出が現役引退した団塊世代の男性の減少を大きくカバーしたということだ。

しかしながら、今後は勤労世代や学生・生徒は大きく減り始める。加えて、コロナ禍でテレワークが普及したことで、通勤そのものを必要としない働き方も増加傾向にある。満員電車に揺られて通勤していた「定期券客」の減少は避けられない。

こうした逆風に対して、大都市圏の鉄道各社が取り組んできたのが、中心市街地を走る地下鉄への乗り入れだった。オフィス街へ直通で行ける利便性を売りにしてきたのだ。最近、力を入れているのが座席指定の有料ライナーである。定年退職者の激増に対応するため、多くの鉄道会社が導入を進めてきた。「客単価」を上げようという戦略だ。ＪＲ中央線の「特急はちおうじ」をはじめ、西武のＳ－ＴＲＡＩＮ、京急のウィング号、京王の京王ライナーなどは、座って移動したい郊外の通勤客に好評を得ている。

しかし、こうした有料ライナーの場合、一車両の座席数が限られており、座席指定料金収入が増えたとしても、定期券客の減少を補うことはできない。通勤定期券客だけでなく、少子化によって通学定期券客の減少も見込まれるが、学生の場合には座席指定券を頻繁に購入できる人のほうが少数派だろう。通学定期客の減少の穴埋め効果は限定的だ。

それどころか、相変わらずの大型開発がなくならない。私鉄だけでなく最近はＪＲも積極的になってきたが、郊外駅に駅舎と一体型の大型商業施設や医療モールを建設するとともに、駅周辺にいくつもの大規模マンションを整備し、巨大タウンを形成することで他路線から住民を奪い取ろうというのだ。

だが、現在の若い世代には「通勤時間の長さ」を避ける人が少なくない。しかもコロナ禍の影響で世代にかかわらず満員電車に長時間乗車することを敬遠する傾向が強くなった。若い世代がどんどん増えていた時代のように、郊外の住宅街に人気が集まるとは限らない。

むしろ大都市圏の郊外は80代以上の高齢者が増える見通しとなっており、同一エリア内で便利な場所への住み替えを考える中高年が増えている。鉄道会社の皮算用通りに「住みたくなる街」へと発展し、どんどん沿線住民が増える状況になるかどうかは分からない。そもそも総人口が減る時代にあって、ある鉄道会社の「一人勝ち」は難しいと認識すべきだろう。

沿線を一つの街に見立てる

人口減少に負けない思考法からすれば、無理に「通勤・通学定期券客」を増やそうとしたり、強引に他社路線から「住民」を奪い取ろうとしたりするのではなく、既存の沿線住民がこれまで以上に電車を利用したくなる状況をつくり出すべきだ。より暮らしやすい沿線になれば、他社沿線に流出する住民を減らせる上、結果として沿線住民が増える。

高齢者の増加は、今後大都市圏において顕著になる。しかも一人暮らしの人が増える。高齢者自らが移動して用事を済ませなければならないケースが多くなるということである。ならば、沿線を一つの街と見立て、駅ごとに特定の生活機能を集約し、特色を持たせることだ。沿線住民は電車を乗り降りしさえすれば、日常生活のほとんどの用事を済ますことができるようにするのである。沿線の高齢者が利用しやすい「生活定期券」を開発してもよい。JR東日本が時間帯に応じて運賃を変動させる仕組みを検討するようだが、「生活定期券」で通勤客が利用しない時間帯のみ利用できるようにすれば、混雑の分散にもつながり、通常の定期券よりも低額で提供できるだろう。

これまでの沿線の街づくりといえば、都心部のオフィス街へと乗客を運ぶことを前提としていたため、どこの駅も金太郎飴で、似たようなチェーン店が並び、特色がない。医療機関が集まった駅、生鮮食料品が何でも揃う駅、文化芸術施設が集中する駅といった具合にそれぞれの「顔」をはっきりさせることで、立ち寄ってみようと考える乗客も増えるだろう。

高齢者の就業が本格化することを考えれば、高齢者向けのオフィスを沿線に積極的に誘致するのもよい。これならば、通勤時間帯に都心部から郊外方面へと乗る通勤客が増え、新規の乗客の開拓が期待できる。これは企業側にもメリットがある。都心のオフィス街の賃料は高く、定年退職後に再就職した人が通勤するオフィスを郊外に構えれば、都心部のオフィス面積を縮小できる。そうでなくとも、テレワークを行う社員が増えた企業の中には郊外にサテライトオフィスとして分散させる動きも出ている。通勤機会が減る分、多くの人が地域で過ごす時間が長くなる。都心に出掛けなくとも各地にコンサートやスポーツ施設など〝大人の社交場〟が整った沿線を目指すのも有効策だ。

さらに望まれるのが、鉄道事業以外でも沿線に暮らし続けたくなるような生活サポートサービスを充実させることだ。すでに一部の私鉄では、家事支援や保育園、介護施設の運営が展開されているが、行政の協力も得ながら沿線の元気な高齢住民をスタッフとして招き入れ、〝参加型の沿線街づくり〟にすることで、裕福な高齢者でなくとも利用できる価格帯の生活サポートのメニューを増やすことが重要だ。

こうした取り組みをしても、今後の人口の減り幅を考えれば、すべての路線を維持することができなくなる時代が来よう。すでに東京圏の郊外では運行本数を削減し始めた事例も見られるが、いつかは駅の統廃合や、地方と同じく路線の縮小を迫られるケースも出てくるだろう。社員の確保も難しくなる。運転士や駅員だけでなく、車両の整備士や線路の保守・点検に携わるスタッフも足りなくなることが予想される。線路の保守点検は終電から始発までの短時間で完了しなくてはならない。

だが、公共交通機関の縮小は、その影響の大きさを考えると時間をかけて進める必要がある。これまで路線の延伸が都市圏を発展させ、鉄道会社の経営基盤を強化させてきた。しかしながら、今後は都市圏もコンパクト化していかなければならなくなる。段階を踏みながら採算のとれる路線を絞り込み、沿線の街づくりにも濃淡をつけていくことである。

5　良いモノをつくれば売れる、わけではない

「いいものを、より安く」という発想の陥穽

第2章で、国内マーケットに頼ってきた日本企業が人口減少に伴う国内マーケットの縮小に対応するには、「少量生産・少量販売」のモデルへと転換を図るしかないことについて述べたが、転換にあたって陥りがちなポイントがある。量的拡大モデルにおいて染みついた考え方の癖や〝思い込み〟というものは、そう簡単に治るわけではないからだ。

例えば、「良いモノをつくりさえすれば売れる」という〝神話〟だ。これについてケーススタディーしてみたい。

中小企業経営者と話をすると「我が社は確かなモノしか扱わない。いいモノをいかに安く顧客に提供するかということを信念にやってきた」と語る人が少なくないが、日本企業の多くでは「お客様は神様です」といった顧客第一主義の考え方が根付いてきた。こうした顧客指向は、製造業を中心として品質向上につながり、日本企業が競争力をつける大きな原動力

ともなってきた。

だが、ここには大きな過ちがある。日本企業が考えてきた「良いモノ」とは、つくり手側が考える「良いモノ」であったからだ。そして、人口減少に負けない思考法からすると、こうした〝成功モデル〟は「少量生産・少量販売」の時代には通用しなくなる。

そもそも、このモデルが通用しなくなることを、日本人はすでに体験している。いわゆる「ガラパゴス化」である。日本の消費者の目を引くモノづくりやサービス提供にこだわり、国際標準からかけ離れた製品をつくり続け、日本以外の市場との互換性を失ったことだ。

日本製品の「ガラパゴス化」の最たる例は、「ガラケー」と呼ばれた携帯電話である。スマートフォンが登場する前、日本メーカーが開発した携帯電話はインターネットに接続でき、テレビを楽しむことや電子決済もできた。しかしながら、当時の国際マーケットはこうした機能をまだ必要としていなかった。必要としない機能や、求める以上の性能が備わっていることで販売価格に割高感が出てしまい、日本以外ではさっぱりだったのである。「折りたたみ式」という形状も不評であった。

通信方式も日本独自に開発されたものであり、その技術は非常に優れてはいたが、海外の標準規格と大きく異なっていた。せっかく「良いモノ」をつくったのに世界には普及せず、グローバル化の流れの中で逆に淘汰されることとなったのである。

電話以外でも、非接触式ＩＣカードやカーナビなど、さまざまな分野で「ガラパゴス化」が指摘されている。

こうした個別の製品もさることながら、日本のＩＴシステムそのものが「ガラパゴスＩＴ」などと揶揄（やゆ）されることも多い。「日本人技術者の仕事は非常に品質が高いものを提供してくれるが、必ずといってよいほど予算と期間がオーバーする」という国際評価だ。

日本の大企業は、伝統的に自社開発システムを中核として独自ＩＴ基盤を発展させてきた。とりわけ、本業を支える基幹システムでその比重が高い。このため、日本のＩＴ技術の発達は、既存のパッケージ製品などを活用しようとせず、ゼロベースから構築するスクラッチ型となったのである。

しかしながら、世界標準と乖離した独自性へのこだわりは、導入費用だけでなく保守費用も含めた高コスト体質を生むこととなる。これでは国際競争ではなかなか勝てない。

日本型サイバーセキュリティはなぜ失敗したか

さらに深刻なのが、〝国際的な仕組みづくり〟における「ガラパゴス化」だ。

その代表例はサイバーセキュリティである。いまやクラウドサービスは、「あれば便利」なツールではなくビジネスを進める上で欠かせないコア機能となったが、日本は大きく出遅れた。

欧米各国が、IoT、ビッグデータなどデジタル改革の急速な発展をにらんで、国を挙げて国際標準化やサイバーセキュリティ自体をビジネスルール化しようと動きを強めていた時期に、個別企業ごとの対策を講じようとしたのだ。多くの日本企業にとってサイバーセキュリティ対策は〝コスト〟との位置付けだったためだ。

そもそも、日本のサイバーセキュリティの技術は他国に比して遅れているが、もし優れていたとしても危うさをはらんでいる。世界標準が国際ビジネスでは絶対のものとなるからだ。日本企業がいかに優れたロボットなどを開発したとしても、サイバーセキュリティの国際標準の認証を求められたときに、セキュリティ認証が得られなければビジネスそのものができなくなる可能性が大きい。製品がマーケットに出ても認証が受けられなかったためにリコールでもされようものなら、株主代表訴訟にも発展しかねない。

これらの「ガラパゴス化」の例は、「良いモノをつくれば売れる」という真摯な姿勢が、オーバースペックや高コスト構造を助長し空回りした典型例でもあった。独自性にこだわればこだわるほど、自己変革をも難しくするという副作用も抱え込むことになる。もっとマーケットに耳を傾けてベストプラクティスを目指し、世界標準への意識を高めることの必要性をわれわれに教えてくれている。

日本のガラパゴス化が進んだ理由

では、なぜ「良いモノをつくりさえすれば売れる」という信仰にも似た〝常識〟が、「大量生産・大量販売」の時代に大手を振っていたのだろうか。

最大の理由は、先述した通り、多くの日本企業は国内マーケットを取り込めば十分に成長できていたことだ。製造者も販売者も消費者もその多くは日本人であった。阿吽（あうん）の呼吸という言葉があるように、こうした同質的な社会では価値観に大きな差がつきにくい。つくり手が良いと考えるものは、大抵は買い手にとっても良いものであったのである。

人口の拡大期には、それこそマーケットの掘り起こしに大きな労力を割かなくとも顧客数（＝販売量）を増やすことができたため、自分たちがつくったものがマーケットに受け入れられていると自信を深めることとなった。

もう一つ、日本企業が自信を深めた理由があった。それは、ひたすら欧米企業のまねをし、コストを落としてさえいれば日本製品はそのまま世界で売れていたことである。それは決して海外マーケットの好みと一致していたわけではなかった。日本と同じか、それ以下の人件費で日本並みの品質の製品をつくることができる開発途上国がなかっただけのことであったのだが、ここを「日本の性能の良さが評価された」と勘違いした。これこそが、「ガラパゴス化」という日本企業の行き詰まりを招いた理由である。この勘違いは、中国をはじめとするアジア諸国が台頭し、国際マーケットのニーズに合った製品をつくれるようになったことで明らかになった。

人口減少に負けない思考法からするとこうした〝成功モデル〟は「少量生産・少量販売」の時代には通用しなくなることを先述したが、人口減少社会となって国内マーケットが縮小するだけでなく、年齢構成も高齢化が進めば当然ながらニーズも変わってくる。「良いモノだから」というだけではインセンティブにならず、勝負にならなくなるということだ。海外マーケットを開拓しようとするなら、なおさらマーケットとの対話が重要となる。

「少量生産・少量販売」のモデルに転換するということは、短時間でたくさんの量をつくらなければならないという制約がなくなる分、一つひとつの製作工程に丁寧さを求められる。言い換えるならば、品質の確保は最低条件になる。「良いモノ」であることが当然となったならば、消費者がさらに評価してくれる新たな付加価値を探し、必要とされるモノとしなければ高く売り続けることはできないのである。

「安全でおいしい」は最低ライン

「良いモノをつくれば売れるわけではない」ということは、農業においても同じだ。農作物を例に引いてケーススタディーしてみよう。

あらかじめお断りしておくが、食料自給率の低い日本において、農業は「少量生産・少量販売」のモデルに移行する必要はない。むしろ、効率性を高めて生産量を増やすことが求められる。だが同時に、経営基盤をより安定化させるために付加価値を高めて利益高を上げていくことも必要だ。それは工業製品と変わりはない。

私は農林水産省の第三者委員会委員を務めていたこともあり、全国各地の農村地帯を訪れる機会が多い。そこでお会いする農業生産者の方々に必ず「ここの作物のセールスポイントは何ですか」と質問することにしてきた。返ってくるのは判で押したように「食べて安全で、おいしい〇〇をつくっています」という回答であった。

人口減少に負けない思考法からすると、安全でおいしい米や野菜をつくるのは〝最低ライン〟であり、これだけでは意味がない。むしろ、安全が保証されず、おいしくないものを出荷しているのだとしたら、それこそプロとして失格だ。

付加価値を大きくしていくには、「安全」「おいしい」以外に、他地域とは異なるセールスポイントがどうしても必要となる。そのためには、消費者のニーズを把握することだ。そこで、農業生産者にもう一つ「つくった農作物を誰に売っているのですか」といった質問をしてみると、こちらもほぼ決まって「農協」という回答だ。

確かに実際の取引相手としてはその通りなのだろう。回答が間違っているわけではないが、私が聞きたいのは「農作物が誰に食べられているかを知っているのか」という点だ。農協からの流通先である。どこの消費地に出荷されて、何日後に青果店などの店頭に並び、どのような層の消費者が、どのような料理の食材として口にしているのかといったデータを知らずに生産を続けていても、品質改良の方向性を打ち出せず、あるいは作付け品目を変えることにもならない。これでは高付加価値の農業経営へと転じていくことはできない。

食材は鮮度や調理法によって、引き出される「素材の力」が違ってくる。野菜の切り方一つとっても、繊維に沿って切るのか、繊維を断ち切るのかによって、栄養価や食感が変わってくる。栽培方法によって甘味や旨味も違ってくる。農業生産者としては料理ごとにベストな品種を栽培することで、高く売れる農作物を生み出すことができるのだ。

農業における「マーケットとの対話」とは

最終消費者と対話を重ねることで、消費者が何を求めているのかニーズを聞き出し、それに応えてこそ高く売れるものとなる。あるいは、自分たちがつくってきたものについて最もおいしく食べられる調理法を編み出し、提案していくという方法もあるだろう。働き手不足が深刻化する時代にあって、少なくなる農業生産者で利益高をアップしていくには、こうしたことまで考えていくことが重要となる。

その地域でなければできない特産品づくりは、これまでも部分的に行われてきた。だが、決定的に欠けていたのは、それを高く買ってくれる顧客の開拓だ。この両方がうまく機能してこそ、付加価値を高められる環境ができるのである。

これまで農業生産者には、毎日の天候や作物の生育状況だけを気にしてやってきたような人たちが多かった。いきなりマーケットとの対話と言われても、どう行動に移したらよいか分からないといった声も聞こえてきそうだが、品種改良ならば県庁や農協、あるいは地元の大学などと組むことだ。市場のリサーチやマーケティングならば、民間コンサルタント会社と提携するのも選択肢となろう。

繰り返すが、「良いモノ」をつくっていればよかった時代は終わろうとしている。国内マーケットの縮小に反して経済成長の果実を得たいのであれば、もっと真摯にマーケットの声に耳を傾ける努力をしなければならない。

野菜を工場でつくる時代

人口減少時代の農業に関しては、もう一つケーススタディーとして取り上げたいテーマがある。「農業の工業化」だ。

コロナ禍はさまざまな影響をもたらしたが、食料問題も例外でなかった。国連世界食糧計画（WFP）の推計によれば、食料不安に直面する人が2020年は2億6500万人に上るという。

感染拡大を警戒する各国政府が外出や出入国の制限を強化したため、外国人労働者に依存してきた欧米各国では収穫期を前にして人手不足が深刻化し、収穫量が思ったほど得られなかったためだ。日本も例外ではない。当て込んでいた外国人技能実習生が来日できなくなり、作付面積を減らすところもあった。大量発生したバッタが各国を移動し、農作物が食い荒らされる被害も重なった。

　コロナ禍の影響が世界各国で完全終息するにはかなりの時間がかかると見られている。農業生産者の高齢化が進む上に外国人労働者を期待通りに集められないのでは、ますます日本の食料自給率は低くなる。こうした状況下で、世界の収穫量の減少が長期化すれば、日本にとって死活問題だ。

　一方で世界人口は爆発的な増加が続いている。少子高齢化や人口減少で国力の低下を招けば国際社会の中で日本の発言力や影響力は弱まり、現行水準での食料輸入が続かなくなることも想定すべきだ。食料輸入に依存し過ぎる姿勢は早急に改めざるを得ないのである。

　日本が食料確保をめぐる八方塞（はっぽうふさ）がりの状況を打開するには、あらゆる手段を講じて国内の生産力を上げていくしかない。

「農業の工業化」といえば野菜工場が代表的だが、そのメリットは、何といっても台風や冷害といった自然災害のリスクを減らせることだ。味や形状などの品質を一定にしやすく、病虫害対策としての農薬も使用しないので洗う手間も省ける。捨てなければならない部分も減らすことができる。

　そのことは、年間を通じて安定的に出荷できることにもつながる。値動きの幅が小さくなり、売上の見通しが立てやすくなるので経営の見通しも立てられるようになる。

これらの点も重要だが、人口減少に負けない思考法からすると、野菜工場の最大のメリットは、農地を耕す農業に比べたら、肉体的な負担が圧倒的に少ないことだ。女性や中高年の進出が期待しやすくなる。働き手世代が激減していくことを考えれば、女性や高齢者が就業しやすい職種を一つでも増やすことの意味は大きい。

ＡＩによって管理されたスマート農業が定着したら、ビジネスとしての可能性はさらに広がる。ボタンを一つ押すだけで生産ラインが動き、農作物の種まき、水や栄養の投与、収穫、箱詰めまでオートメーションで完結するハイテクの野菜工場をイメージしてもらいたい。少ない人手で生産量を飛躍的に伸ばすことも可能だろう。世界的な食料争奪戦に巻き込まれなくて済むようになるかもしれない。

これまで農業への新規参入が進まなかった主因は、仕事がきつい割に収入が安定しない点にあったが、野菜工場がビジネスとして軌道に乗るなら、両課題を一度に解決し得る。

海外で野菜工場を展開せよ

これまで、さまざまな企業などが野菜工場の運営に取り組んできたが、弱点といえば、採光や空調などにかかる電気代や人件費が高いことだった。葉物野菜を野菜工場でつくると農地生産に比べて3倍ほどの価格となり、なかなか事業として成り立たないのである。苦労して野菜工場を成功させようとするよりも、大地を耕したほうが安上がりであれば、普及してこなかったのも当然であった。

しかしながら、農業生産者の高齢化で大地を耕す農業の先細りが予想される以上、日本にとっては真剣に取り組まざるを得ない選択肢の一つと言えよう。

最近は明るい兆しもある。排熱システムをはじめとする技術革新に加えて、水の徹底した再利用やロボットによる収穫を導入することによって人件費を縮小させ、生産コストの削減を進めた結果、事業を軌道に乗せられるところも登場し始めているというのだ。

ただ、小規模ならば採算に合う事業にもできるのだろうが、求められているのは日本全体としての食料不足の解消だ。一定規模の収穫量を確保しようとすると電力の消費量が最も高いハードルになるだろう。

ならば発想を変えることだ。エネルギーのコストが問題なのであれば、エネルギーを安く提供してくれる国と契約をすればよい。サウジアラビアなど中東諸国やアゼルバイジャンのようなエネルギー大国と提携して海外に大規模な野菜工場を建設することである。エネルギーコストさえ安価であれば採算は取れる。国内では小規模な野菜工場を、海外には大規模な野菜工場を建設するという住み分けをするのである。

産油国でも食料確保は今後の大きな課題となるだろう。膨大な砂漠を緑地化し野菜畑にするよりも、ＡＩによって管理された野菜工場を建設したほうが早い。そうした野菜工場を「日本の農地」として、少人数の工場従事者で経営するのだ。収穫された野菜は現地の国とシェアする。ＡＩによる徹底管理で、日本人消費者が求める安全性、品質を満たした農産物を、天候不順に悩まされることなく安定的に生産できるようになれば、国内の農業生産者が減ったとしても食料自給率は大きく改善するだろう。

問題は輸送コストだが、野菜の鮮度を落とさず何日も保管できる特殊なフィルムの技術が実用化されている。ホウレンソウやレタスのような葉物野菜も、新鮮なまま空輸できる。需要が増えれば運送コストも低く抑えることができるだろう。

「野菜工場」に関しては、まだまだ技術的に乗り越えなければならないハードルがたくさん残っているが、国が先頭に立って進めていくべき事業ではないだろうか。農業分野の機械化は稲作中心に進められてきたために、極めて遅れている。国が成長産業として位置付けたならば、ハイテク分野からの参入も進むだろう。繰り返すが、食料の安定確保は国家の安全保障問題である。少子高齢化が進むほど切実な政治課題になることを忘れてはならない。

第4章
地域の未来を見る力

少子高齢化や人口減少の影響が及ぶのはビジネスの分野だけではない。すべての生活の基盤となる地方自治体にも降りかかってくる。公務員も例外なく人数が減っていくからだ。

そこで第4章では、人口減少社会における行政サービスの行方や地方自治体の在り様についてケーススタディーしようと思う。

かつて〝地方消滅〟という言葉が話題となった。地方では働き手世代、とりわけ次の世代を出産し得る若い女性の都市部への流出が大きな懸念材料となってきた。しかしながら、少子高齢化や人口減少がもたらす影響はもっと複雑かつ深刻なのである。人口減少に負けない思考法をもって眺めてみると、さまざまなことが浮き彫りになってくる。

1 自治体の職員不足で起こること

自治体職員はこんなに減る

日本創成会議が20～39歳の女性の都会流出に着目し、若い女性が現状の半数以下になる可能性のある自治体の〝消滅〟の可能性に警鐘を鳴らしてから、ずいぶん時間が経過した。

しかしながら、自治体存続の危機は全く違う形で現れた。２０１７年、高知県大川村で有権者が予算などの議案を直接審議する「村総会」の設置が具体的な課題として浮上し、話題を呼んだ。住民の減少に伴って、村議会の成立要件を満たすだけの立候補者数が見込めない恐れが生じたためだ。

いまや立候補者が議員定数に満たず、投票前から「定員割れ」という地方選挙も登場し始めている。議員選挙もさることながら、近年は、無投票当選という首長選挙も増えてきた。人口減少や住民の高齢化で立候補者不足が深刻化していったならば、それこそ「民主主義」のピンチだ。地方自治体の健全な運営はできなくなる。

図表4-1 2040年までの自治体職員の減少率（対2013年比）

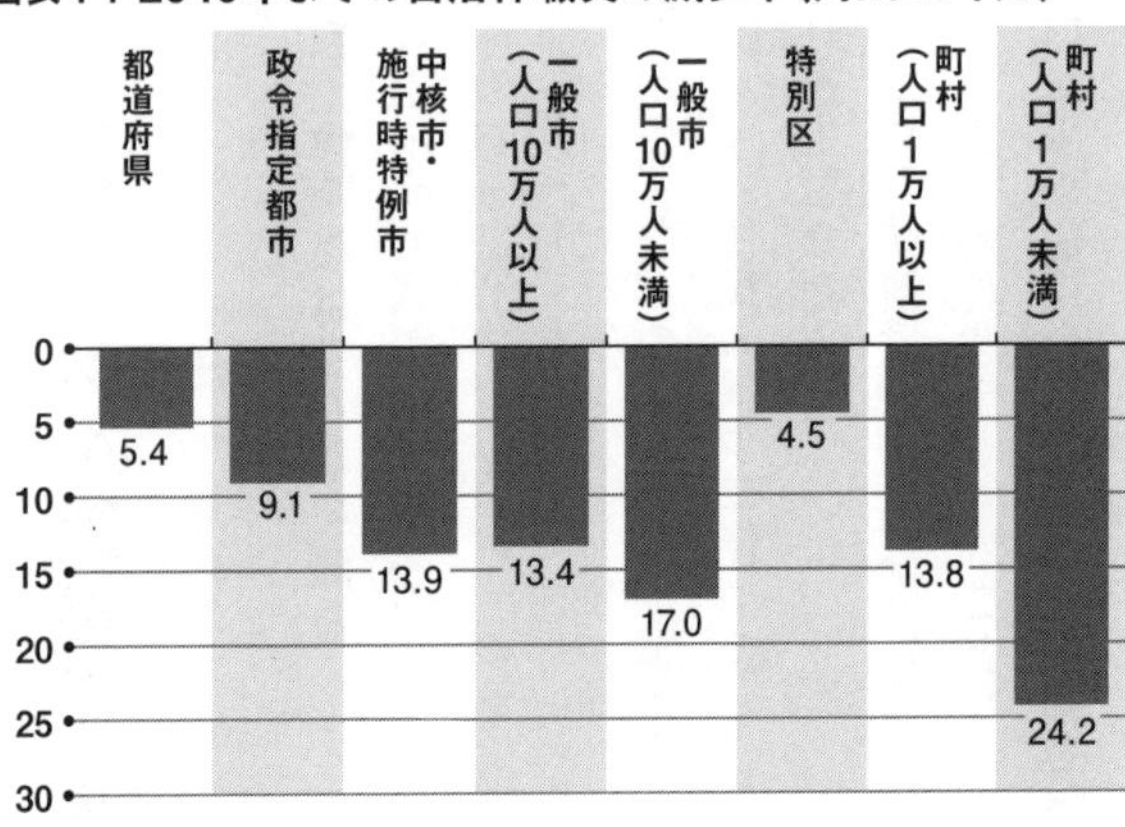

出典:総務省資料

　しかしながら、足りないのは地方議員だけではない。地方自治体の職員まで不足し始め、行政サービスの提供までが懸念され始めているのだ。

　総務省の資料が、２０１３年の地方自治体の職員数（一般行政部門）と２０４０年の職員数とを比較する形で増減率を推計しているが、人口１万人未満の自治体の場合には24・２％減と、４分の３の規模に縮小する。10万人未満の一般市は17・０％減、中核市も13・９％減、政令指定都市も９・１％減と１割近く減る見通しである。ここまで減ると、従来の行政サービスをすべて続けていくことは困難だろう（図表４－１）。

　なぜ、こうも減るのだろうか。理由は大きく二つある。まずは自治体職員の応募者そのものが減ると予測されることだ。一部の大都市を除き多くの地方自治体では、職員の応募者は地元出身者が大多数を占める。ところが、少子化によっていまや年間の出生届がゼロという自治体も登場した。一桁が続いている自治体も多い。年間出生数が極端に少ない自治体は、今後はさらに広がっていくものと見られる。

もう一つは、これまでの行政改革ですでに職員数が減ってしまっていることだ。背景には「平成の大合併」がある。重複する設備の統合など行政改革が進み、職員についても採用抑制の流れが強まったのだ。１９９４年からの20年ほどの間に、地方自治体全体の職員数は、３２８万人から２７４万人となり２割ほど減った。

もともと採用抑制で減少傾向があったところに、少子化で思うように採用できなくなるという事情が重なったということだが、とりわけ懸念されるのは２０３０年以降だ。団塊ジュニア世代の退職が始まり、職員数が急速に減る自治体も出てきそうである。

自治体合併によって行政面積が増えた一方で、職員数が減ったのだから職員一人当たりの受け持ちエリアもその分、拡大したということだ。これでは、職員個々の頑張りだけではとてもカバーできない。

税収の落ち込み――住民税と固定資産税

課題は職員の減少だけではない。さらに追い打ちをかけそうなのが、自治体の税収の落ち込みだ。

地方自治体の基幹的な税目といえば住民税や固定資産税などだが、住民数が減れば当然ながら減っていく。加えて、高齢化が進むことで総じて個々の所得は現役時代よりも少なくなる。

総務省の資料が、２０１５年と２０４０年を比較する形で５歳年齢別（15歳以上）の人口減少率を分析している。その内訳を見ると、年間平均給与が５０９万円と最も高額な「50〜54歳」の減少率は20・１％減である。４８６万円の「45〜49歳」は30・２％減、４６１万円の「40〜44歳」は36・８％減、４３２万円の「35〜39歳」は30・６％減だ。これに対して、増えるのは70歳以上（年間平均給与３０４万円、増加率30・０％）のみである。

過疎地などでは土地の流動性も乏しくなり、地価の下落傾向に拍車がかかるだろう。多くの自治体で財源不足に見舞われることになる。

職員が減るだけでも行政サービスは滞るのに、財政基盤まで衰えたならば、行政サービス水準の低下は避けられない。結果として、人口流出に拍車がかかりかねない。それが民間サービスや企業の撤退という悪循環を招くことになれば、ますます財政基盤は衰退し、満足な行政サービスを維持できなくなる。

だからといって、国がすべてをカバーするわけにはいかない。対象となる自治体は大多数に上ると見られるからだ。広域化や近隣自治体との合併など〝規模の拡大〟を目指してもうまくいかない。多くの自治体は似たような状況にあり、問題の解決策が見出せない自治体が一緒になったところで単にエリアが広がるだけだ。むしろ状況はより悪化する。

「お上任せ」の意識はもう捨てなければならない

こうした状況をどうするのか。もちろんオンラインを含めて、行政のデジタル化を進めることも重要だが、人口減少に負けない思考法からすると、行政が担うべき業務の線引きをやり直し、住民に任せるところは任せることである。住民には、些細なことまで〝お上(かみ)任せ〟とする意識を改めることが求められる。

かつての日本人には、「なるべく他人に迷惑をかけない」という考え方で身を律する人が多かった。自分でできることは自分で行うという「自助自立」の精神であるが、働き手世代が減って行く社会では学ぶべきところがある。

ただ、国民は高齢化してきており、頑張りたくとも一人では頑張り切れないところもある。こうした場合でも、いきなり行政サービスに頼むのではなく、日頃からコミュニティに参加しておいて、まずは助け合いの輪の中で解決を目指すことだ。行政に頼むのは、それでも解決できない案件のみとする。

国の補助金に頼らず、住民自らが道路工事を行っている長野県下條村などの例もある。住民と行政とに協力関係が構築できれば、自治体の負担は大きく軽減できよう。税収が目減りしても必要な業務は水準を維持できる。本来、行政がすべきサービスとは何なのか。人口減少社会に見合った業務内容をいま一度、問い直すべきなのである。

台風被害の状況把握がなぜ遅いのか

自治体職員の減少による弊害は、現実のものとなり始めている。中でも、待ったなしで進めなければならないのが自然災害への対応だ。これについてケーススタディーしよう。

近年、台風やゲリラ豪雨による災害が目立つようになった。ニュースでは「××年に一度の大雨」といったフレーズをしばしば耳にする。2018年の西日本豪雨や北陸新幹線の車両基地の水没を招いた２０１９年の台風19号など、広範囲に甚大な被害を及ぼす事例も増えている。

自然災害で人口減少の影響を強く思わせるのは、被災者宅の屋根を覆うブルーシートである。各地を歩いていると、ブルーシートに覆われたままの家が何軒も建ち並んでいる光景に出くわすことが珍しくない。地元の人に事情を聞いてみると、何カ月も前の災害の傷が癒えていないのだという。

修理の依頼が集中するがゆえに手が回らないという事情もあるが、屋根瓦職人が非常に少なくなってきていることも原因の一つだ。屋根瓦職人の国家資格であるかわらぶき技能士の受検申請者数は、２００７年度は９３４人だったが、２０１７年度には４３３人（合格者は２８５人）と半分以下になっている。被災者からは「業者に連絡したら、半年どころか、数年待ちになってしまうかもしれないと言われた。次の台風シーズンが来てしまう」といった声も聞かれる。

しかしながら、足りないのは屋根瓦職人やボランティアだけではない。縷々述べてきたように、災害時に地域住民の先頭に立つべき地方自治体の職員も不足しつつある。

避難所の設営作業に苦労している自治体もあるというが、衝撃的だったのが２０１９年に台風15号と19号のダブル台風で大きな被害を受けた千葉県だ。倒木や土砂崩れ、電柱の倒壊などによって通行止めが相次いだが、被災状況、復旧情報ともに伝達が大きく遅れ、多くの人が壊れた家の中で電気もない孤立状態に置かれたのだ。

なぜ、こうした事態を招いたのかといえば、地元自治体のマンパワー不足によるところが大きかった。本来ならば、被災地域を素早く回り、被災状況を国や県に迅速に報告して応援要請をしたり、住民に必要な物資や情報を届けたりしなければならないが、これが手間取り、迅速な対応に結びつけることに失敗したのである。

もちろん、職員が減り、自治体の財政基盤が脆弱になっていく時代において、これは千葉県の特別な事例ではない。

さらに先にも述べたように、職員数が減る一方で市町村合併によって自治体の面積が広がったため、職員一人当たりが受け持つエリアが広くなった。こうした環境の変化がある中で、２０１９年のダブル台風のような広域災害が短期間に立て続けに起きてしまったのでは、職員個々の頑張りだけではとても対応し切れないだろう。

一方で、今後は高齢者の一人暮らしや高齢夫婦のみという世帯が増える。一般的に高齢になると判断能力に衰えが見え始める。たとえば洪水の危機が迫ったとき、若ければ避難所まで自力で移動できるが、高齢者の場合はそうはいかない。足腰が弱っていれば車いすに乗ったままの避難や誰かがおぶっての移動となる。コロナ禍でも明確になったが、基礎疾患がある人などは仕切りもない避難所の大部屋に長時間滞在することは難しい。近所の人が避難を促すためにと声を掛けようにも、個人情報保護の壁が立ちはだかり、どこに、どんな疾患を抱えた高齢者が住んでいるのか、その人の家族構成がどうなっているのか、住民同士で把握していない地域が増えている。

それはすなわち、〝災害弱者〟が増えてきているということだ。

さらに懸念されるのが、自治体職員だけではなく災害時に救出作業を行う自衛隊員や警察官、消防隊員といった〝助っ人〟も少子化の影響を受けて、今後は十分な人数を確保できなくなることだ。

高齢住民が増えると、自然災害の前触れにも気づきづらくなる。若く、家族が多かった頃は雨音の異常さや、土砂災害の前触れである土の匂いを早い段階で察知し、天候が酷くなる前に自主的に避難するケースもあった。

これが、高齢になると予兆に気づかなかったり、避難しなければならないと思いつつも気力や体力の衰えから気後れしたりで、避難のタイミングを逸し逃げ遅れることになりかねない。2019年の台風19号の際には、越水し始めた川沿いの世帯の中に、高齢者がいるために避難指示が出ても避難所まで行くことができず、不安な思いをしながら自宅で一晩過ごしたという人が少なくなかった。

これらの問題に対してどうすべきなのか。人口減少に負けない思考法からすれば、「災害時に誰かが助けに来てくれる」という常識を捨て、日頃から住民同士の連携体制を整えておくことである。

そのためにはリアルな防災訓練が欠かせない。現状でも防災訓練は行われているが、地区の役員に選ばれた人が消防署や警察署の担当者の指導で、予定調和的に消火器の使い方を演じてみるといったレベルが一般的であろう。しかしながら、これでは災害弱者が増える時代には対応できない。

今後求められるのは、半年に一度ほど、原則、全住民が参加する実戦さながらの訓練だ。例えば、一人暮らしの高齢者に誰が声を掛けるのかも事前に決めておき、豪雨を想定した訓練では、実際に避難所まで車いすを押して移動するところまで担当者を決めて経験しておくといった具合だ。平時に地域全体で役割と行動の確認をしておかなければ、非常時にアクションを起こせるはずもない。自らの命は自らで守る時代が到来しつつある。

2　地方の人口、地方の施設——成功モデルの破綻

「手厚い子育て支援」の是非

人口減少社会においては、地方自治体の「発展」の概念や、街づくりの常識も大きく変わらざるを得ない。次は街づくりについてケーススタディーしてみよう。

地方自治体も企業と同じく「拡大成長」路線で来た。これまで地方自治体の発展といえば、住民の増加であった。企業活動においては、売上高や利益の絶対額を増やしていくことが「成長」と言われ、多くの会社が前年度からの成長を〝至上命題〟としてきたが、自治体ではそのモノサシが人口に置き換わっただけだ。

人口が多ければ商業施設なども集積し活気が出る。結果として税収も増え、それが住民の暮らしの豊かさにつながる。これが自治体経営の成功モデルであり、こうした考え方は広く定着してきた。首長たちも競うようにして工場誘致による雇用の創出に努めたり、財政力と不釣り合いとも思える豪華な施設をせっせと建設するなどして街の風格を高め、住民の増加

策に奔走してきた。近年は誘致の対象が工場から大型ショッピングセンターなどに変化してきたが、相変わらず、郊外への大型開発を続けようという計画が目立つ。

しかしながら、日本全体で人口が激減していくため、こうした成功モデルは成り立ちようがない。住民の多寡ではない新たな地方創生策を考える段階に入ってきている。

とはいえ、企業と同じく、地方自治体も「過去の成功体験」を改めるのは難しいようで、強引とも思える政策を行ってでも近隣の自治体から住民を奪い取り、〝人口増加〟を実現し続けようという〝熱心〟な動きが散見される。

典型的なのが、過疎化が進んでいる町村などで転入者に住宅を無償あるいは低価格で提供するといった過度な移住奨励策だ。千葉県流山市や愛知県長久手市、兵庫県明石市など大都市圏の郊外や政令指定都市に隣接する自治体では、手厚い子育て支援策が目立つ。

子育て世帯への住宅補助や現金給付、多額の出産祝い金、子供の医療費の無料化などさまざまな制度を駆使している。流山市の場合、「認可保育園の新設・増設、駅前送迎保育ステーションの設置（保育園との間でバスの送迎を行う）、夏休みに市内の小学校で小学生を預かる制度の実施」といった具合だ。中には〝手厚すぎる〟のではと思える施策を展開している自治体もある。

多くは首長のリーダーシップによるものだ。いまだに選挙戦では「少子化対策で人口減少に歯止めをかけます」といった意気込みを選挙公約とする候補者が少なくない。当選を勝ち取った首長や地方議員にしてみれば、4年の任期内に人口を増やすことに成功できれば、次期選挙に向けた大きなアピールポイントになるとの思惑がある。

サービス合戦の様相すら呈していることから子育て世帯の関心も大きく、どの自治体がどんなサービスを展開をしているのかを一覧にして比較できるウェブサイトまで登場。こうした情報を参考にして新居を探す子育て世帯も少なくない。

実際に、それなりの結果も出ている。流山市、長久手市、明石市について2010年4月と2020年4月を比較すると、人口がそれぞれ3万5394人、1万1515人、6471人のプラスになっている。

大盤振る舞いの代償

だが、こうした人口かき集めによる自治体の発展モデルは短期的には成功に見えても、長続きはしない。

これまで述べてきたように、日本全体で人口が激減していくためである。現時点では辛うじて人口増加が続いている東京都などを含め、遠からずすべての自治体で人口が減ることとなる。自治体間の人口の綱引きは、次回の選挙戦に向けて成果をアピールしたい政治家たちにとっては重要なことかもしれないが、日本社会全体で捉えたならば〝勝者〟なき、不毛の戦いなのである。

産業面を含めて日本中が相互補完関係にある。一つの自治体だけが拡大発展していくということはあり得ない。

手厚い子育て支援策を続けたとしても、どこかで政策効果は途切れる。子供は成長していくため、いつまでも支援の対象であり続けるわけではないからだ。対象年齢から外れた途端、親としてはその自治体に住み続ける魅力を失うこととなりかねない。

手厚い支援策と引き換えに長時間の通勤を我慢してきた親たちにしてみれば、自分の子供が手厚い給付の対象年齢から外れた時点で長い通勤時間はデメリットでしかない。そうでなくともコロナ禍までは若い世代の都心回帰が進み、職場に近いエリアに手頃な価格のマンションの供給は増えてきた。子供の中学や高校への進学を契機に通勤、通学しやすい場所に再度引っ越すという人も少なくない。

それだけではなく、手厚い子育て支援策は子供がいない世帯に不公平感を生じさせる。その財源捻出のために、公共事業予算や高齢者向けサービスを縮小しているケースもあり、こうした自治体では公共施設の老朽化など将来的な課題を抱え込むことにもなりかねない。子供がいない世帯にすれば、予算の使い道に不満がたまっていたところに、手厚い子育て支援を受けるだけ受けた世帯に転出されたら、怒りの矛先は自治体に向かうだろう。

直近の課題も生じている。急激な子供の増加に、小学校や中学校の教室が足りなくなり、少子化時代にもかかわらずプレハブ校舎で凌いでいるというところもある。保育園の整備も追いつかず、周辺の自治体には空きがあるにもかかわらず、待機児童の対応に追われるというアンバランスな状況も生み出している。

繰り返すが、日本全体の人口が激減していく「国難」を前にして、個々の自治体が勝利なき戦いを繰り返すときではない。人口減少に負けない思考法からすると、定住人口の増加を追いかけるのではなく、それに使うエネルギーをコンパクトでスマートな街づくりへと振り分けるべきだ。そのほうが、中長期的に考えれば地域の存続可能性を高めることになる。

自治体の「フルセット主義」という病

定住人口の囲い込みと並んで、地方自治体の古き「成功モデル」に横並び主義がある。

その代表例として、図書館や市民ホール、プールといった公共施設を、それぞれの自治体ごとに取り揃えることを目指す「フルセット主義」がある。これも発展拡大を成功とする発想の一つだが、次はこれについてケーススタディーしよう。

各地方自治体が「フルセット主義」にこだわる背景には、近隣自治体に〝見劣り〟しないようにしたいという背伸びの意識がある。最近のはやり言葉になぞらえるならば、ちょっとしたマウンティングといったところだろう。

地方自治体の横並び意識は長年にわたり染みついたものだ。とりわけ周辺自治体の「成功」は気になるようで、視察や研修を通じて情報を仕入れ、「○○町で成功した政策を、うちでもやれないか」とまねしようとする。私の地方自治体向けの講演でも「国内での成功事例はありませんか？」という質問を受けることが多い。

しかしながら、人口減少に負けない思考法からすると、人口が減っていく時代に「フルセット主義」はあまりにも非効率だ。立派なホールを建てたものの、利用者数は大きく伸び悩んでいるといった話をよく耳にするが、今後の少子高齢化の進み具合を考えれば、多くの自治体で同じような状況となるだろう。

利用者が増える見込みがないだけでなく、財源不足も懸念される。先にも言及したが、自治体の基幹的な税収は住民税と固定資産税であり、人口減少と住民の高齢化で、年々財政状況が厳しくなるところが増えるだろう。メンテナンスの費用をどう工面していくかも、今後真剣に考えていかなければならない。

それよりも、周辺の自治体と広域に連携をして住み分け、同じ機能の施設が重複しないようにすることだ。今後の建て直し時期をにらんで整備計画を策定し、互いの住民が融通して利用し合えるようにすればよい。

いかに、他の自治体と「違うこと」をやるか

私は、人口減少時代においては、公共施設にかかわらず既存の地方自治体の線引きにこだわる必要など全くないと考えている。自治体の境界線は、過去に誰かが決めて引かれたものに過ぎず、実際の生活圏とは異なる。新しい商業施設ができれば多少遠方であっても足を延ばす人は多いだろう。自分の自治体に空港がないからといって、飛行機の利用を断念する人だっていない。行政が行う事業やサービスを、それぞれの自治体の枠内で考える時代は終わったと認識すべきである。

そもそも、少子高齢化も人口減少も全国一律に進むわけではない。今後の社会変化はこれ

まで以上に地域差を大きくする。自治体ごとの人口推計を踏まえ、それぞれに未来予測をしながら計画を進めていかないと齟齬(そご)が出てくる。地方自治体は横並びの発想を捨て去るべきなのである。これまでのように先行事例や成功事例を探し、職員を派遣して学ばせてまねをしていれば「何とかなる」という時代は終わったと認識すべきだ。

人口減少社会で問われるのは、地方ごとのオリジナリティーである。むしろ、他の自治体といかに違うことを実施するかにエネルギーを費やすべきなのだ。

そのためには「なくてはならない存在」を目指す必要がある。「ミニ東京」を目指し、〝支店都市〟となってしまったり、同じような規模の自治体に倣って特徴を失ったりしたならば、それこそ人口減少社会で生き残ることは難しい。

オリジナリティーを発揮するには、まずはそれぞれの自治体が持つ〝強み〟を探すことである。地政学的な優位性であったり、歴史であったり、自然であったりするかもしれないし、伝統工芸や祭り、企業、人物かもしれない。地方自治体だけで探すのではなく、地域住民や関係人口（自分が暮らす地域以外の特定の場所を継続的に訪問する人）などを交えながら見つけ出していくプロセスをとったほうが有効だろう。

〝強み〟を探し出せたならば、それをオリジナリティーへの「武器」とすべく、行政はどのように後押しできるか、あるいは阻害要因をどう取り除くのかを考えることだ。

西脇市の「播州織」を用いた取り組み

私が講演で訪れた兵庫県西脇市は「西脇ファッション都市構想」という興味深い取り組みをしているが、これなどは成功例の一つといえよう。

西脇市といえば播州織（ばんしゅうおり）で有名だが、この伝統工芸を21世紀の時代にあったものにつくり替えるべく、東京など都市部から若者を「育成デザイナー」として迎え入れ、ファッションクリエーターに育て上げているのだ。地元企業も人材の育成を通じて、高品質な最終製品を増やしており、市としては播州織のみならず「西脇」という名前をブランド化しようという思いもある。

播州織は、生地の開発から糸染め、織り、加工のすべてを産地内で一貫生産することが特長であり、播州織に魅せられた若者たちが移住して熟練した職人に学び、その才能を開花させている。中には、起業して海外に進出するまでになった成功者もいる。

他方、街を盛り上げる導火線となる起業家を集めて、それをバックアップしていくことも一つの選択肢である。多くのＩＴ系ベンチャー企業がサテライトオフィスを構える徳島県神山町などが有名だ。

「特徴的な産業も観光資源もない自治体はどうしたらよいのか」という声も聞こえてきそうだが、最終的には自分たちで考えるしかない。全く何もないということはないはずである。自分たちが持つ能力や魅力が分からないのであれば、〝よそ者〟をどんどん招いて確認すればよい。あるいは日本中、世界中を回って自分たちと比較し、意見を聞くことである。繰り返すが、自ら汗を流すこともなく、横並びの発想で他の自治体に学ぼうとするのであれば、成功どころか消滅の危機が待っている。

3 郊外拡大型の終焉とコンパクトシティ

広島市の郊外開発

戦後の街づくりといえば、人口が増えるにつれて、どこの地方自治体も市街地を拡大させてきた。こうした郊外開発型の街づくりについて、ケーススタディーしてみよう。

全国を歩いてみると、駅や中心市街地を核として郊外へと街が広がっている。最近では、国道沿いなどに大型ショッピングセンターが建設されると、そこを中心に新たな賑わいを見せている。

平地の少ない都市などは、かなり急峻な地形の土地に住宅街が広がっている。例えば、私がしばしば訪れる広島市だ。中心市街地にタワーマンションが目立つようになってきたが、一方で少し郊外に行くと山の中腹に大きな新興住宅街が広がっている。広島市といえば丘陵地の住宅が豪雨の被害に遭ったことが記憶に新しいが、近年の気候変動を考えると少し心配になる場所にもたくさんの住宅が建っている。

瀬戸内海沿いに平地は広がっており、隣接する自治体に住んで広島市に通勤や通学、買い物に通う暮らしでもよさそうなものだが、地元の人に尋ねてみると、「広島市に住むことに一種のステータスがある」との答えが返ってきた。こうしたニーズに応えるべく、広島市も郊外開発を推進してきたということだ。

だが、人口減少に負けない思考法からすると、こうした郊外開発型の街づくりはもはや長続きしない。社人研の「日本の地域別将来推計人口」（２０１８年）によれば、２０４５年には７割の自治体で２０１５年と比べて人口が２割以上減る。４割以上減る自治体も40・８％（図表４－２）に上る。

大都市部でもすでに空き家が目立ち始めているのに、ここまで短期間に凄まじい勢いで人口が減っていくのでは市街地の拡大は続かない。

ちなみに、政令指定都市である広島市の場合、市全体としての人口減少率は６％減だが、郊外に位置する安佐北区で見てみると人口は29・４％も減る。さすがに政令指定都市の広島市が２０４５年時点で行政サービスの低下に悩むことはないだろうが、多くの政令指定都市や中核市でも郊外には空き家がかなり見られるようになるだろう。

人口が減るだけでなく、高齢化も進んでいる。高齢者が過半数を占める「限界自治体」が、２０４５年には全国で３割近くとなる。高齢化率が６割近くになる自治体も少なからず出てくる。広島市安佐北区も45・９％だ。

近年、年を取り過ぎる前に、買い物や通院に便利な中心市街地に引っ越す高齢者も増えてきてはいるが、多くは若い頃に購入した郊外に住んでいる。子供たちが巣立ち、郊外には高齢者のみの世帯も目立つ。

住民が減った上に住民の高齢化が進んでくると、ますます若い世代の流出が加速し、地域の暮らしを支えてきた民間サービスが廃業したり、撤退を始めたりする。こうして人口がさらに減る悪循環に陥っていく。

図表4-2 2045年の市区町村人口の増減割合（対2015年比）

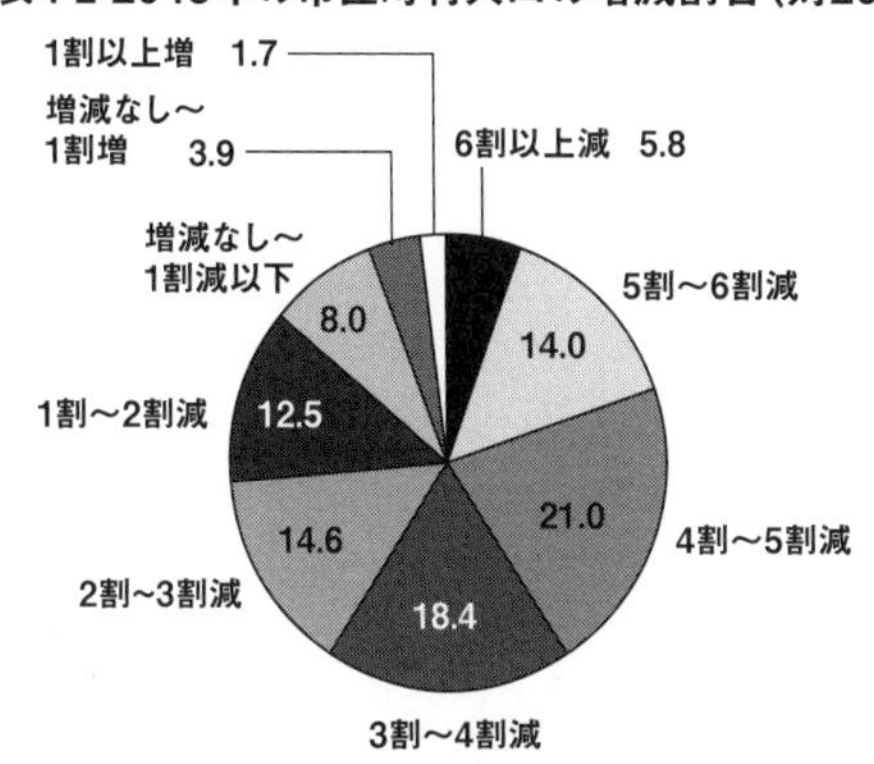

出典：国立社会保障・人口問題研究所「日本の地域別将来推計人口」（2018年）

高齢住民がパラパラと住んでいるエリアが広がってくると、行政サービスの提供も非効率になってくる。安否確認のための自宅訪問一つとっても、一人の自治体職員が受け持ちエリアを回るのにかなり時間がかかるようになるだろう。いつかは行政サービスの水準も維持し続けられなくなるだろう。

先にも述べたように、どの地方自治体もやがて職員数が不足し、税収が目減りしていく。それが分かっているのに、郊外へどんどん市街地を広げていく街づくりをしていったのでは、コストが見合わなくなる。社会インフラの維持費などは、やがて住民の使用料金に上乗せされる形での負担増として跳ね返ってくることとなる。

水道料金が20年間で3倍以上になる

人口が増えていた時代の社会インフラの維持コストは原則として世帯数で割り算するため、人口が増えるほど各家庭に割り当てられる負担も軽くなった。いわゆるスケールメリットだ。しかしながら、人口減少で世帯数も減ると一世帯当たりの維持コストは高くなる。

例えば、水道料金で考えてみよう。水道法では、「水道事業者は、事業計画に定める給水区域内の需要者から給水契約の申込みを受けたときは、正当の理由がなければ、これを拒んではならない」と定められている。どんな辺鄙(へんぴ)なところであっても、利用者が存在する限り、水道管を整備し、維持しなければならない。そのためのコストは莫大なものとなる。

総務省の「自治体戦略2040構想研究会」の資料が、水道の有収水量の見通しを示しているが、日量のピークは2000年の3900万㎥であった。ところが、人口が減ってきたことに加え、節水機器の普及などによって各家庭の一人当たりの使用水量が減少したこともあり、2014年は3600万㎥に減った。今後は、さらに人口が減っていくため、2060年には2014年比4割減の2200万㎥、2110年には7割減の1100万㎥にまで減ると予測している。

水道事業は原則として独立採算制だ。ここまで減れば経営状況は厳しくなり、必然的に利用者に値上げという形で負担を求めることとなる。同資料は２０２７年時点で給水人口が１万２０００人の自治体が２０４７年に８０００人に減るとしてモデルケースを例示しているが、供給単価が上昇し続けるため、４人家族で試算した場合、２０２７年の３９５７円が、10年後の２０３７年には７３３５円、２０４７年には３・５倍の１万３６６１円になるという。年金生活の高齢者のみの世帯が増えてくることを考えると、「家計に大打撃」というレベルでは済まなくなる。

市街地をコンパクト化しない場合の生活コストの増加は、水道だけではない。電気も電柱の保守点検に費用がかかるし、膨大なマンパワーを必要とする。ユニバーサルサービスに強いこだわりを見せてきた郵便も、人がまばらにしか住んでいない地区にまで安定的に配達を続けようと思えば、各地にそれなりの配達員を配置させざるを得ない。いずれも利用者が減るにつれて、一人の顧客に対するコストは割高となる。

あまりに利用料が高くなると、不採算エリアの社会インフラを維持するために、自治体住民全員が均等に負担することへの不満が募り、住民同士の地区間対立に発展する可能性もある。

図表4-3 社会資本の老朽化の現状と将来予測

	2018年3月		2023年3月		2033年3月
道路橋［約73万橋］	約25%	→	約39%	→	約63%
トンネル［約1万1000本］	約20%	→	約27%	→	約42%
河川管理施設（水門など）［約1万施設］	約32%	→	約42%	→	約62%
下水道管きょ［総延長：約47万km］	約4%	→	約8%	→	約21%

出典：国土交通省資料

こうした課題に加え、今後、インフラの維持にもかなりのコストを要することが予想されている。国土交通省の資料によれば、建設後50年以上経過する道路橋の割合は２０３３年には約63％、下水道管きょは約21％に達する（図表４－３）。すべてが自治体管理ではないが、多くの社会インフラの維持管理費や更新費用がかかるようになるということだ。

これまでの市区町村の街づくりが郊外へどんどん拡大していった背景には、住民が自分の所得に見合った住宅を求めたということもあるが、地区ごとに議員が選出されるため、まさに自分の選挙区への〝我田引水〟になりがちなことも大きな要因となってきた。

政府が「国土の均衡ある発展」を目指したのと

同じく、市区町村内において各地区の「均衡ある発展」を目指してきたのである。

コンパクトシティ化を阻害する固定観念

では、今後の街づくりはどうあるべきなのだろうか。人口減少に負けない思考法からすれば、コンパクトでスマートな街づくりに転換することだ。

ただでさえ人口が減っていくのだから、郊外に市街地を拡大させて人口密度をより低下させるよりも、既存の「賑わい」に磨きをかけて、より住みやすい人口集積地をつくることに力を入れたほうが街は手早く活気づく。そのほうが〝消滅〟のリスクを減らせるだろう。

何度も説明してきたように、働き手世代が減る以上、民間サービスはもちろんのこと、地方自治体の職員や警察官、消防士といった暮らしの基盤を維持する職種の人手が不足していく。その上で、コミュニティを構築して「共助＝助け合い」の仕組みを嚙ませていかなければ、暮らしの質を維持することはできない。

人口減少対策としてコンパクトシティの必要性が指摘されるようになってから久しく、各地でさまざまな構想が持ち上がっている。

しかしながら、構想の内容を見ると、郊外から市街地への人口集積どころか、駅前や中心商店街の再開発型計画に主眼が置かれていることが少なくない。

なぜこうなるのかといえば、現行の市町村の地図に囚われているからだ。地図を上から眺めるように考えていたのでは、役所や駅といった中心市街地に段階的に人を集め、郊外へと拡大した街を時間を巻き戻すように縮小させていくという発想に陥る。これも悪い方法ではないが、あまりに時間がかかる。日本全体の人口が激減していくことを考えれば、コンパクト化し終わる前に、〝消滅〟してしまう自治体も出てこよう。すでに、市街地らしき「賑わい」が見当たらない市町村もある。

コンパクトシティの必要性を語るとき、必ずと言っていいほど登場するのが道州制への移行だ。「既存自治体でモノを考えていてはうまくいかない。もっと大きな単位にすれば人口減少も乗り切れる」といった類の主張を耳にする機会も多い。

だが、ここには勘違いがある。道州制は地方分権のための一つの選択肢である。

社会が複雑化し、地域差が拡大する時代になってきており、私は、適切な政策判断をタイムリーに講じるためには、もっと地方分権を進めたほうがよいという立場である。しかしながら、地方分権が進んだからといって人口減少に歯止めがかかるわけではない。

人口が減っても十分な行政サービスを行き渡らせるためのコンパクトシティ政策と、地方分権を推進する道州制とは全く性質の異なる話なのである。仮に道州制が導入されたところで、結局は各道州の中ではコンパクトシティを整備していかなければならない。

スーパーシティ構想は実現するのか

他方、政府は、コンパクトシティの加速策としてスーパーシティ構想を掲げているが、これは現実的と言えるだろうか。

スーパーシティとは、国家戦略特区としてそこに住む住民や企業のさまざまな情報のデータを分野横断的に収集・整理する「データ連携基盤」をベースとしてＡＩなどの最先端技術で連結し、２０３０年頃に実現される未来の暮らしをいち早く実現させようというアイデアだ。２０２０年６月に法律が成立した。クルマの自動走行やキャッシュレス決済、ドローン配送、遠隔医療、遠隔教育などの実現が想定されている。

トヨタ自動車が、静岡県裾野市にあらゆるモノやサービスがつながる実証都市「コネクティッド・シティ」（Woven City）の建設を目指しているが、これなどまさにスーパーシティ構想に該当しよう。

大変に夢のある話であり、完成したならばすぐにでも出掛けてみたいところだが、残念ながら各地に次々と建設されるということにはならないだろう。こうした電脳都市を実際に運営するとなると、メンテナンスの手間が膨大だ。多くの技術者や安定的なエネルギー供給などランニングコストも必要になる。トヨタ自動車のような巨大企業がバックについていれば別なのかもしれないが、資金援助がなければ住民は多額の負担を求められるだろう。富裕層でなければ住めない。それ以前の問題として、必要な数の技術者を集めることが難しい。

行動履歴など個人情報や企業情報が把握されることから、人権侵害や企業の根幹を握る情報流出への懸念も新たな課題となりそうだ。あえて居住しないという人もいるだろうし、進出を避ける企業も出てくるだろう。

何か所か実現したとしても、日本の最先端技術や新製品を国内外にデモンストレーションするテーマパークや商談会場のような場所となりそうだ。

「拠点」づくりを進めよ

むしろ、人口減少に負けない思考法をもってコンパクトシティを考えるならば、「拠点」づくりを進めることだ。中心市街地への人口回帰に限らず、地区ごとに人口集積を図り、どう暮らしを成り立たせていくかという視点こそが重要となる。

私は、人口減少社会における国土形成は多極軸であるべきだと考える。一極集中が続く東京圏は、地方の若者が減ることに伴い急速に高齢化していく。とても、これまでのような効率性優先の街ではいられなくなるだろう。人口だけでなく国家としての機能が密集し過ぎていることの弊害も大きい。もし、直下型大地震や富士山の噴火が起こったならば、それこそ国家が土台から揺らぐ。過密都市・東京はコロナ禍で、感染症に対しても極めて脆弱なことも明らかになった。

これから極端に人口が減る地方が増えることを考えると、全国各地に20～50万人規模の都市が点在する国になったほうが暮らしやすいだろう。

誤解していただきたくないので強調しておくが、その手法は市区町村合併ではない。各地に20～50万人規模のコンパクトな人口集積地をつくろうというのである。

住民が少なくなった市区町村は、すべてのエリアに万遍なく現行水準の行政サービスを提供できなくなるからだ。そうした状況に追い込まれる前に各自治体の枠組みを超えて「居住可能なエリア」と、そうではないエリアを区分けし、居住可能なエリアでこれまで通りか、これまで以上に快適な暮らしが実現できるようにしたほうがいいとの発想である。

とはいえ、いきなり20～50万人規模の人口集積地を完成させられるわけではない。現実的には段階を踏む必要がある。そこで第一ステップとして「拠点」をつくるのである。

もちろん「拠点」は自治体よりも狭いエリアとなる。既存自治体の中にいくつもつくられることとなる。人口規模としては、民間サービスの立地を考えると、最低500人程度は必要だが1000～2000人ぐらいを想定している。

「拠点」を一からつくる時間的余裕はない。生活機能を残していくことが狙いなので、まずは少しでも「賑わい」が残っている地区を中心に考えることがポイントだ。医療機関の周辺や郊外の大型ショッピングセンター、高速道路のサービスエリア、道の駅などを核にして、その周辺に集まり住むのでもいいだろう。

繰り返すが、人口減少社会においては、既存自治体は十分に機能せず、その線引きを前提として発想することはあまり意味をなさなくなる。人々は住民票のある自治体の中だけで生活を完結しているわけではないことはすでに述べた通りだ。コンパクトシティや「拠点」を構想するにあたっては、実際の生活圏に即して考える必要がある。

残念ながら、人口が激減して持続できなくなる自治体はいくつも出てくる。政府は地方創生に関して、「地方」の概念を曖昧にしたまま市区町村単位で人口ビジョンや創生計画の策定を求めてきた。このため地方創生に過度の期待をかけている首長や地方議会議員もいるが、そもそも地方創生は「既存自治体の生き残り策」ではない。むしろ、政府や国会は既存の自治体が機能しなくなったときのことを考えておく責務がある。

そもそも、仮に市区町村が〝消滅〟したとしても、住民までもがその地から突如として消え去るわけではなく、暮らし続ける人は残る。

人が暮らし続ける以上は何らかの形で行政サービスを届けなければならないわけだが、住民にすればその担い手が国であろうが、都道府県であろうが問題ない。情報セキュリティの徹底など「信用」が担保されたならば、政府から業務委託された民間企業でも担い得る。

要するに、暮らしていくのに必要不可欠なサービスが滞らなければ、その担い手がどこから給与を支給されていようと関係ないのである。既存の地方自治体がまだ何とか機能しているいまのうちに、代わりとなる組織を想定し、ルールを定めておかなければならない。

「拠点」づくりのモデル

私が語る「拠点」をつくりながら、コンパクトシティを実践しようとしているモデルが富山県富山市だ。ＬＲＴ（Light Rail Transit・次世代型路面電車）などの公共交通網の沿線に住宅をはじめ、商業施設や企業、文化施設など都市機能を集積させた「拠点」を形成していくというユニークな取り組みである。市関係者は、「拠点」を〝お団子〟に、公共交通機関を〝串〟に見立て、串にお団子がいくつも刺さっている〝お団子と串の都市〟として説明している。

富山市の取り組みは、ローカル鉄道という〝地域の財産〟をうまく活用し、「拠点」の整備と中心市街地への人口集約を同時に達成しようという試みだ。

ただ、路面電車が存在すればコンパクトシティが実現するわけではない。また、「拠点」同士を公共交通機関で結ばなければならないわけでもない。

栃木県宇都宮市はLRTを新規建設し、コンパクトシティ化を進めるというが、富山市と同じようにうまくいくとは限らない。人口が減る時代において、その建設費や維持費の捻出は大変だろう。宇都宮市には同市なりの事情があっての判断だろうが、将来世代に負担が残ることが懸念される。コンパクトシティは、むしろそれぞれの地域が持つ〝財産〟をいま一度洗い直すことから始めることだ。いまさら大型事業に乗り出すのではなく、「拠点」での暮らしをいかに充実させるかを考えたほうが現実的である。

では、「拠点」でどんな暮らしが想定されるのか、その在り様について考えてみよう。先にお断りしておくが、これに「正解」はない。そこでここでは私が考える「拠点」をご紹介したい。簡単に説明するならば、「日常生活の主な用事が徒歩で済ませられる街」だ。

私は、ヨーロッパの街にヒントを見出している。

ドイツでは、多くの都市が中心市街地から自動車をシャットアウトし、歩行者だけの空間としている。日本がシャッター通り商店街にしてしまっているのとは大きな違いがある。

しかも、単に自動車を締め出しているだけではなく、多様な世代が交流するコミュニティを形成している。車いすの人もいれば、ベビーカーを押す人もいる。ここが「拠点」のポイントであることは先述した通りである。

これは、スイスなどにも見られる光景だ。街角のいたるところに椅子が置かれ、街中にくつろぎやすい空間が用意されていたりする。先に紹介した「スーパーシティ」のような電脳都市ではなく、人々の息遣いが聞こえる街づくりだ。将来的に高齢化率が４割近くになる日本にとって大いに参考になるだろう。

もう一つ、「拠点」を考える上でヨーロッパが参考になるのは、小さな田舎町においても豊かな暮らしを実現している秘訣だ。

ヨーロッパの広大な穀倉地帯に通る一本道をたどっていくと、ところどころに小さな街が現れる。小さな教会と、それを取り囲むような家々だ。そこには、日本で見られるような寒村のイメージはない。

それぞれの地域は、そこで暮らす人々の家計を支える産業を少なくとも一つは持っているからだ。500人の村では500人の暮らしを、1000人の村では1000人の暮らしを成り立たせるに十分な収入がある。

しかも、自分たちが請け負える能力に見合った量の仕事しか請け負わないところが多い。日本企業ならば経済成長を求めて設備投資をしたり、新規に人を雇ったりと売上高を拡大しようとするだろうが、収入を無理に増やすべく事業を拡大させることなく、身の丈に合った仕事に徹するのだ。

得られる収入の範囲内で満足できる楽しみ方を知っているからだ。その代わり、自分たちが編み出すモノの価値が落ちて収入が減らないようにするための努力は惜しまない。そこで展開されているのは、第2章で論じた高品質なモノを少量生産・少量販売するビジネスモデルである。これに学び、「拠点」は人口減少時代の新しい産業モデルを実現する受け皿にすることである。

事情もある。

「拠点」内で企業活動を完結させる

人口減少社会においては、これまでのような「分業体制」がうまく機能しなくなるという事情もある。戦後の産業構造といえば、東京や大阪といった大都市圏に資本も人材も集め、そこに立地する本社の企画部門、開発部門が頭脳の役割を果たしてきた。地方には工場が建設され、本社からの指示に従って製品をつくり、販売や物流を担ってきた。こうした仕組みは、地方の雇用を創出するため、地方自治体の首長は競うように工場誘致を進めてきた。

しかし、この仕組みがつくられたことで、意欲的な若者の大都市への憧れがさらに強くなり、人材の流出がより加速した。さらに、地方の出生数が減ったことで工場で働く人を確保することも難しくなり、安い人件費を求めて工場が海外に移転したこともある。日本企業には、販売を商社などに委ねるところも少なくない。

これに対して、私が考える「拠点」では、企画から商品開発、販売まで企業活動のすべてがその内部で行われることをイメージしている。インターネットが普及し、日本国内のどこにいても世界と直接つながることができるので、「拠点」内での完結は十分可能だろう。

製品開発や海外のニーズを把握するマーケティングには高度な技能や技術を必要とする。海外の顧客と直接交渉するには貿易実務や語学力も重要となる。大学などで学んだ知識や身に付けた技能を活かせる仕事があれば、大都市の企業でなくとも就職する人は増えてくる。Uターンも進むだろう。結果として、企業は小規模でも利益が上がり、「拠点」の住民は世代交代が進んで活性化する。企業と「拠点」がしっかりとタイアップすることで、世界にとってなくてはならない場所を目指すのである。「拠点」は、人口減少時代において、大都市に代わる産業拠点ともなり得る。

人が集まることで、マーケットの縮小スピードを緩和できるというメリットもある。例えば、人口1万人の地域が7000人に減少してしまったとしよう。でも、その7000人が「拠点」に集まり住むようになったのなら、むしろ人口密度は高まる。場合によっては、以前よりも活気が出てこよう。バラバラに住んでいたならば撤退していたであろう民間企業や店舗も残ることとなる。

人口減少社会において、人口の密集を図っていくことは重要だ。少し、頭の体操をしてみよう。秋田県の人口は現在95万6000人ほどだ。2045年の人口は2015年比で41・2%減と、全国で最も激しく人口が減るとされている。だが、すべての県民が県庁所在地の秋田市の一定エリアに集まり住んだらどうだろう。たちまち100万人近い政令指定都市が誕生する。そうなったら、そのマーケットに期待して資本も集中し、転入者も増えることだろう。秋田県の将来人口推計は全く違うものとなる。

最も肝心なのは、コミュニティを構築すること

ここまで「拠点」のあり方やメリットについていろいろな角度から考えてきたが、最も肝心なのは、単に人口を集約するのではなく、そこにコミュニティを構築することである。

少子高齢化し人口が減少する社会において、住民同士の助け合いが不可欠であることは、本書で何度も繰り返してきた。これからは老後の蓄えが十分ではない高齢者も増えてくる。お金をかけずに楽しく暮らすという知恵も、助け合いがあってこそ可能となる。

戦後の焼け野原から、日本が何とか立ち上がってこられたのは、〝お互い様〟の精神が下支えしてきたことが大きい。人口減少社会ではそうした「共助」の価値感を、いま一度、思い出すことが必要なのである。助け合うには、ポツンと一人で暮らしていては始まらない。

人口減少社会においては、既存自治体の境界線とは関係なく全国各地に「拠点」を設けていく「ドット型国家」に変更せざるを得ないということである。働き手が減る状況下で、われわれが快適に暮らせる場所を少しでも多く残すには、大きく発想を変えざるを得ない。

人口が少なくなっても、世界的に注目される特徴的な「拠点」を全国に数多くつくり上げられたならば、日本全体の豊かさを維持できよう。

いかにして集住を促すか

コンパクトシティや「拠点」を実現していく上で、大きなハードルになるのが住民の合意の取り付けだろう。「拠点」から外れた地域に住む人々の協力を得ながら、どう集住を促していけばよいのか。その方策について、ケーススタディーしよう。

誰もが住み慣れた自宅からは離れたくないものである。引っ越しはかなりの労力を要するし、近隣住民や通いなれた店舗とも縁が切れていくため、精神的な負担は大きい。

ましてや、何不自由なく暮らせているのに、「地域社会全体の利益のため」と言われても全員が二つ返事で応じるとは思えない。「人口が減る地域を切り捨てるのか」という非難の声も上がるだろう。

とりわけ高齢者になると難しい。収入は年金が中心であり、生活環境の変化には及び腰になりがちだ。さらに、土地や自宅への思いが強い人も多い。

九州の農村地区を視察で訪れたとき、自治体職員とともに一人暮らしの高齢者宅を訪問する機会があった。ある高齢者のお宅は、かつて大家族で住んでおられたのであろう、一人で暮らすにはあまりに広いように見えたが、「先祖代々住み続けてきた家や畑なので、自分の代で離れるわけにはいかない」と訴えておられたことを鮮明に記憶している。この方が体力的に畑を耕すことができなくなったとしても、農地を他人に貸そうとしたり、ましてや手放したりとはならないだろう。

居住、移転が個人の自由であることは憲法第22条で保証されている。引っ越しを強要するわけにはいかない。

しかしながら、現実も直視しなければならない。日本の人口減少スピードは速く、30年もしないうちに人口が7割近くも減る市町村なども登場する。国内すべてのエリアが現在の暮らしを続けられるはずがない。

今後、農村では一人暮らしの高齢者が激増していく。しかも、集落は点在しており、人口減少で一軒家となってくるところも増える見込みだ。地方自治体が、こうした一人暮らしの高齢者宅を巡回して見守るなどの行政サービスを維持していくことは、労力もコストも大変な作業となってくる。人口が減ったならば、さまざまな民間サービスも撤退し、さらに人口流出が進む悪循環に陥っていく。

少し事例が異なるが、日本国内にはダム建設のために水没した村が数多く存在する。地域全体の利益のために、自らの生まれ育った村を離れた人々の心中は察するに余りある。当時、移住交渉にあたった関係者の苦労も相当のものだったことだろう。だが、苦渋の決断のおかげで、下流の地域は水害から守られ、水不足に困ることも激減した。利水は日本産業の発展にも大きく役立った。

人口減少は誰にも止められない国難であり、「静かなる有事」である。未曾有の事態に立ち向かうには、公共の福祉を求めざるを得ない場面が出てくることは仕方がないことである。このまま綺麗ごとを言って、問題を先送りし続けたとしても状況は悪化するばかりだ。政府や地方自治体もどこかで腹をくって、しっかり責任を取りながら協力を呼びかけていくしかないのである。

同一エリア内での2地域居住を促せ

どこかで折り合いをつけざるを得ないといっても、具体的にどうすればよいのだろうか。強要ができない以上は段階を踏まえながら進めていくしかない。移行期間の政策として二つ挙げてみたい。

一つは、期間を定めた上で、「拠点」に住むインセンティブを付与することだ。周辺地域から「拠点」内に移り住んだ人に対して、住宅取得にかかった費用の一部を「協力金」名目で公費負担したり、住民税や水道光熱費を減免したりするような方法である。

もう一つは、同一エリア内での「2地域居住」を推進していくことだ。自宅や土地はそのままとし、収入を増やすことが難しい高齢者向けに、「拠点」内に低家賃住宅をセカンドハウスとして用意するのである。例えば、ウィークデーの5日間は「拠点」の低家賃住宅で過ごし、土日は自宅に戻る、といったライフスタイルである。

私は「日本版ＣＣＲＣ」を提唱してきたが、考え方としてはこれに近い。ＣＣＲＣとは「Continuing Care Retirement Community」の頭文字を取った略称で、高齢者が健康なうちに移り住み、終身で暮らすことができる生活共同体のことだ。地元の人々とも主体的に交流するなどアクティブに暮らすことで、できる限り健康長寿を目指そうというものでもある。

これに倣って「同一エリア内2地域居住」のための低家賃住宅に住んでもらい、そして、各高齢者に「役割」を持ってもらうのだ。そこに住む高齢者同士の交流はもちろん、「拠点」内の世代を超えた人の輪にも加われるよう仕掛けをつくるのである。

自宅から遠く離れるわけではないので、自宅と低家賃住宅の往来はしやすい。地域全体が

「拠点」に移るので、近所の人々との付き合いが途切れることもない。土日の送迎ぐらい地方自治体が事業として負担すればよいだろう。

CCRCというと、広大な敷地を誇るリゾート施設のようなイメージを抱く人もいるかもしれないが、「同一エリア内2地域居住」の場合には家財道具の大半は自宅に置いてあるので、一人当たりの居住面積はさほど広くなくても済むだろう。むしろワンルームの学生アパートの間取りが参考になる。

各自治体とも財政的に厳しくなっていくことを考えれば、わざわざ新築する必要はない。むしろ、既存施設を積極的に活用することだ。

地方によっては、すでに特別養護老人ホームに空きベッドが目立ち始めている。そうした施設があるならば、例えばフロアごとに用途を決めて、2～3階は低家賃住居とし、4～5階は従来通り介護用ベッドとして使用するような工夫である。

あるいは、県営住宅や雇用促進住宅などを転用するのも一つのアイデアだ。そうした建物をリノベーションすれば、コストダウンにつながる。例えば、3LDKの中古マンションを三つの個別住宅につくり直すことを考えることだ。

「同一エリア内2地域居住」は、あくまで高齢者向けの福祉的政策とすることである。低家賃とするのも、コンパクトシティが実現すれば、見守りサービスをする必要もなくなり行政の総コストを抑制できるからだ。その費用対効果を「見える化」することも重要だろう。住宅政策と位置付け、年齢制限もしないとなれば、周辺の賃貸住宅よりも安価となり、民業圧迫になる恐れが出てくる。

ここまで二つのアイデアを述べてきたが、人口減少に負けない思考法からして最も大切な視点は、「拠点」の暮らしを便利で楽しいものにしていくことである。「拠点」に住むメリットや魅力をどんどん発信していくことで、「あそこに住んでいる人は何か楽しそうだ」「得になることがありそうだ」といった具合に、「拠点」に住んでみたいと思う人が増えてくることが何よりの移住促進策となる。

私が考える「拠点」は経済や機能面での優先性ばかりを追い求めるのではなく、「のびやかな空間」「時間的ゆとり」「人間らしさ」「自然との共生」といった価値観に根差すものである。人口減少社会において求められているのは、若者にとっても、子育て世代にとっても、高齢者にとってもそれぞれの「役割」があり、同時にマイペースを保って自分らしく過ごせる街づくりである。

第5章

コロナ後を見る力――「変化の時代」というチャンス

コロナ禍は人々に強烈なショックを与え、日本社会は大きく変質した。もはや「コロナ前」の社会にすべて戻ることはないだろう。

「ニューノーマル」という言葉が盛んに使われるが、個々人は「コロナ後」の社会をどう捉え、どのような行動をとればよいのだろうか。

本書がここまで繰り返し論じてきたように、「コロナ後」の社会にも人口減少の波は容赦なく襲い掛かる。そして同時に、「コロナ後」の社会で求められることは、人口減少対策とほぼ同一の内容である。

本章では「コロナ前」からの課題について、身近な暮らしにかかわるテーマをピックアップし、コロナ後にどう対応すべきなのかをケーススタディーする。

1 テレワークがもたらす雇用の流動化

テレワーク導入率は6割以上

コロナ禍が日本社会にもたらした最大の変化といえば、人々に〝距離〟が生まれたことだ。「ソーシャル・ディスタンシング（社会的距離の確保）」とか、「フィジカル・ディスタンシング（身体的距離の確保）」という言葉も登場した。

新型コロナウイルスのような感染症は繰り返し蔓延（まんえん）すると予想される。〝適度な距離〟をとる習慣は定着し、やがて過密状態を避けながら快適に暮らすことが新たな生活スタイルになるだろう。

〝距離〟をとった暮らしを可能にしたのは、リモート技術であった。デジタル革新は日進月歩であり、特にビジネスにおいて飛躍的に普及した。とりわけ大きな関心を集めた、オンラインを使ったテレワークについてケーススタディーすることにしよう。

テレワークによる在宅勤務については、東京都が都内の従業員数30人以上の企業に対し、コロナの感染拡大期にあった2020年4月にアンケート調査をしたが、導入率は62・7%にのぼった。従業員数300人以上の企業では約8割であった。

コロナ禍をきっかけとして全社員を原則、自宅勤務にすることを決めた企業や、オフィスへの出勤日を大幅に減らして在宅勤務と通勤とを併用する企業も少なくない。

過渡期にあるため、再び対面型の働き方に戻す企業もあるが、中長期的にはテレワークの普及は人々の「仕事」に対する意識を変え、働き方にも影響を及ぼす。

テレワークの利便性といえば、何といっても通勤が不要となることだ。東京圏や大阪圏などでは〝満員電車〟は当たり前の光景となっている。

これまで「文句を言っても仕方がない」と割り切ってきた人にとって、通勤が「選択」に変わることは、天地がひっくり返るようなものである。今後は、満員電車に乗りたくないと考える人は、就職時にテレワークが可能な会社を選ぶことになるだろう。テレワークを認めていないがゆえに新人を思うように採用できないとなったら、さらに導入は進むだろう。

テレワークが当たり前の社会となれば、勤務先までのアクセスの良さにこだわる必要がなくなる。これまではオフィス街までのアクセスの良さが住宅地の人気を決めてきた。中心市街地にタワーマンションが乱立したのも、「職住近接」のニーズが大きかったからだ。通勤が〝常識〟でなくなれば、「職住近接」という考え方そのものがなくなっていくだろう。すでに、本格的なテレワーク時代を見越して、賃料の安い地方に本社機能を移した企業やオフィス面積の縮小に動き始めた企業もある。不動産企業もこうしたニーズに応えるべく、サテライトオフィスの物件を増やしている。

実力主義が加速する

このような通勤をめぐる変化もさることながら、テレワークがもたらす最大の影響は雇用の流動化だ。

日本企業の場合、家族的な組織文化の職場が少なくない。チームワークが優先され、部署内に仕事が遅い人がいると全員でカバーをし合い、仕事ができる人ほど多くの業務を抱えることとなってきた。

しかしながら、テレワークとなれば、簡単に同僚を頼ることはできない。業務を時間内に完結させなくてはならなくなるので、社員個々の「責任」や「成果」が明確になる。

これは、企業側にしてみれば社員個々の能力を把握しやすくなるということだ。無駄な会議が減り、だらだらと仕事をする残業がなくなれば、残業代も減る。

人口減少を乗り切るのに必須の生産性向上につながる。今後は、社員個々の生産性を査定する実力主義の人事評価が盛んになることが予想される。人口減少に負けない思考法からすれば、これはメリットといえる。

そうでなくとも、多くの企業が、デジタル技術で既存制度を変革する「デジタルトランスフォーメーション」（DX）に対応するために組織のスリム化を図ろうとしていた矢先であった。スキルの乏しい中間管理職を対象にした早期退職勧奨や降格的な配置転換を実施する企業が増加し、年功序列の賃金モデルは終焉のときを迎えつつあった。終身雇用も遠からず過去の遺物となるだろう。

テレワークが雇用の流動化の引き金になる理由はもう一つある。通勤時間が浮くことで副業・兼業がしやすくなることだ。

厚生労働省のガイドラインが改定されたこともあって副業・兼業を認める企業が少しずつ増えてきたが、コロナ禍による景気の落ち込みで業績が悪化した企業では容認の流れが一気に加速する可能性がある。副業・兼業もテレワークで実施するならば、それこそ世界のどこの仕事であっても引き受けられる。

雇用の流動化が進めば、再就職がままならず不安定な雇用や失業者が広がる懸念もある。

だが、人口減少に負けない思考法からすると、働き手世代が減っていく以上、雇用の流動化は進めざるを得ないというより、進めるべきなのである。

さまざまな分野で業務の担い手が足りなくなるので、働ける人が何役もこなさない限り、社会が回らなくなるからだ。人口減少社会においては早期退職や兼業・副業とは、むしろ「次なる道」へ進むためのチャンスと位置付けたほうがよい。

「次なる道」へ進むことは、個々の人生にとっても避けられないことである。超長寿社会が到来し、60代後半まで働かざるを得ない人が増えるからだ。年金受給額は目減りし、退職金があっても老後資金をすべて賄い切れるわけでもない。少し前のビジネスパーソンのように、「定年後は自宅で悠々自適に」とはいかないのである。

降格的な配置換え人事によって給与が下がっても一つの会社で働き続けるのも選択肢ではあるが、定年退職を迎えてから新たな仕事を見つけるのは大変だ。高齢者は増え続けており、かつてのように定年退職後の再就職先を勤務先が斡旋（あっせん）してくれるとは限らない。

発想を変えて考えるならばむしろ、30代、40代の頃から兼業・副業に積極的にチャレンジすることで「次なる道」への準備を進めておいたほうが有利である。出世の先行きが見えた頃に〝新しい道〟に飛び込んだほうが、定年退職を待ってからスタートするよりも若くて気力体力が残っている分、やりがいを持てる仕事に就ける確率は大きくなる。

2 老後生活の備え

「2000万円足りない」は至極当たり前のこと

「老後に向けて、いくら貯めればいいのですか?」講演先でたびたび、こうした質問を受ける。

金融庁が「公的年金があっても2000万円不足する」といった趣旨の報告書を示して大きな話題を呼んだことは記憶に新しい。年金と並ぶ虎の子の退職金や企業年金も、すべての人が当て込めるとは限らない。経済産業省の資料によれば、「退職給付制度がない」とする企業は増加傾向にある。2018年時点では22・2%が有しておらず、55・2%は退職一時金のみだ。平均支給額も企業規模にかかわらず減少傾向にある。これでは、老後の暮らしに不安を感じる人が増えるのも当然だ。

コロナ禍で世界経済が大打撃を受けたこともあって、より大きな懸念材料となった。業種によっては今後、失業者や非正規雇用者の増大、賃下げ、ボーナスカットが広がりそうだ。老後の資産形成に向けた計画が大きく狂ってしまうケースも出てくるだろう。老後の生活資金はどう考えるべきなのか、ケーススタディーしてみよう。

老後の生活資金といえば、公的年金である。「老後生活を保障してくれる制度」であると勘違いしている人が結構多いが、厚生労働省が「年金だけで老後の生活費をすべて賄える」と説明したことはない。「保険」と名前がついていることでも分かる通り、想定以上に長生きした場合の〝生活費の足し〟なのである。

そうした意味では、金融庁が「２０００万円足りない」としたのも至極当たり前のことを述べたに過ぎない。報告書が言いたかったのは、「資産寿命」を延ばす必要性であった。「資産寿命」とは聞きなれないが、老後の暮らしを営むために築いてきた預貯金などの資産が底をつくまでの期間のことである。国民の平均寿命が延びていく以上、運用などによって資産寿命を延ばさざるを得ないと指摘したのであり、別に間違ったことを言っているわけではない。

そもそも、金融庁が「２０００万円」を指摘するまでもなく、年金だけで老後資金が十分であると思っていた人はほとんどいなかっただろう。そうでなければ、「２０００万円不足」

問題の前から老後向けの金融商品が売れ、金融機関での相談会がこうも花盛りになるはずがない。年金の受給額は若い頃から収めてきた年金保険料の額によって決まるため、中高年になってから大きく増やせるわけでもない。

現役時代と同じ場所に住み続けられるか?

ではどうすればよいのか。まずは、状況や収入を「見える化」することだ。不動産収入などが見込める人もいるだろう。売却できるものがあれば、現金化することができる。

老後も働き続けることで収入を得続けるという選択肢もある。健康状況には個人差もあるが、これが一番確かな方法だ。若いうちから〝役立つ人〟になるべく準備を怠らないことだ。

働く高齢者が増えることを見越して、政府は年金受給年齢の選択肢を75歳まで拡大する法改正を行った。繰り下げるほど1回当たりの年金受給額は増える仕組みとなっている。年金が「長生きのリスクに備えるための保険」である点を考えるならば、75歳まで待つかどうかは別として、働こうと思う年齢まで繰り下げてもよい。

こうした収入確保策もさることながら、支出の再点検をすることも重要である。現役時代と比べれば収入が減るのだから、いつまでも同じ水準の暮らしを維持できるはずがない。

定年退職を迎えた頃から徐々に生活を縮めていく努力が必要だ。まずは住宅ローンなどの借金をなくすことである。住む場所も自分の老後の収入に見合ったロケーションを選び、物件のレベルも下げることである。持ち家ならば別だが、現役時代と同じく交通の便のよいエリアの高級マンションを借り続けるというのは現実的ではない。

こうした点を考慮せず、現役時代の暮らしぶりを前提として「公的年金だけでは２０００万円不足する」とか「預貯金は５０００万円は必要だ」などと試算しても意味がない。

「お金を出せばなんとかなる」時代の終わり

しかしながら、人口減少に負けない思考法からすると、老後資金はいくら貯めても十分とは言えない。働き手世代が減っていく以上、十二分な額のお金を用意したところで、自分が望むサービスを担う人が確保できるとは限らないからだ。

例えば、近年よく耳にするようになった「引っ越し難民」だ。引っ越しシーズンに運送業の人手が足りず、希望日に引っ越しができなくなっているのだ。「割増料金を払う」と交渉しても断られた例もある。運送業に限らず、いろいろなサービスが滞るようになれば、何億円貯めたとしても〝お金が腐る〟だけで、安心できないだろう。

いまや、あらゆることをお金を払って業者にやってもらう時代となった。ネット通販はもちろんのこと、ちょっとした修理や掃除などといったことも業者に頼む人が少なくない。しかしながら、その担い手が減る以上、発想を転換せざるを得ない。

若い頃から〝自分でできること〟を増やしておけば、人手不足でサービスが撤退したり、サービス料金が高騰したりしたとしても困ることは少なくなる。自分でやれることが増えれば、その分だけ家計支出も抑制できる。それは支出の再点検によって生活を縮めることにもつながる。

もちろん、自分だけではできないこともあるので、地縁や血縁によるネットワークを活用することだ。いざというときに支え合える関係をつくり上げられたならば、老後生活に張り合いも出て、お金があまりかからない暮らしを手にすることができる。

3　少子高齢時代に合わない「区分所有」

マンションの居住者が一斉に年をとる

持ち家か賃貸か、一戸建てかマンションか──。住宅取得をめぐる悩みは尽きない。住宅に対する価値観は人それぞれなので、その問い掛けに正解があるわけではない。

だが、人口が減り、空き家問題がクローズアップされる時代において、住宅における注目ポイントが変わってきているのも事実だ。しかも、コロナ禍によって人々の住宅に対するニーズや価値観も大きく変わりつつある。とりわけマンションについては、これまでとはかなり変わった部分が出てきた。人口減少時代のマンション所有をケーススタディーしてみよう。

総務省「住宅・土地統計調査」（2018年）によれば、全国の空き家は過去最多の848万9000戸で全体の13・6％だ。このうちマンションなど共同住宅は477万5200戸と56・3％を占める。空き家といえば崩れかかった一戸建てのイメージが強いが、実はマンションの空き部屋も増えているのだ。

なぜ、マンションに空き部屋が拡大したのだろうか。最大の理由は賃貸マンションへの入居者がいないことだが、住み替えが進まないことも数字を押し上げている。

若い世代が多かった時代には住宅需要も大きく、地価は上がり続け、交通の便の良いところに立地するマンションは買い値よりも高く売れるケースが少なくなかった。子供ができて部屋数を増やしたくなったときに売却すれば、利ザヤが稼げる。これを頭金として次の新規物件に引っ越すという「住宅すごろく」ができたのである。

しかしながら、少子化の影響で住宅需要はかつての勢いを失った。しかも住宅バブルが弾けたこともあって、地価は上がり続けるという〝土地神話〟も崩壊した。物件によっては買い値に比べて大きく値が下がり、売却したくともできなくなったのである。テレワークによる在宅勤務が広がれば、都市部のオフィス街近くのマンションは需要が減ってさらに価格が下がる可能性もある。

こうなると、購入したマンションは終の棲家（すみか）となる。マンションの場合、購入時には年齢も、年収も、家族構成も似通った人が多くなりがちだ。それは20～30年後に住民が一斉に高齢者になるということでもある。いまや住民の大半が高齢者という物件も珍しくなくなってきた。

一方で住民の高齢化は新たな課題をもたらす。少子化で跡を継ぐ子供などがいなければ、所有者が亡くなると住む人がいなくなる。仮に相続人がいたとしても、別のマンションを所有していれば、親が遺したマンションは必要とはならない。固定資産税の支払いを敬遠して相続せず、持ち主が不明になる場合もある。

相続して売却や貸し出しを考えても、マンション自体が老朽化していたのでは思うようにはいかない。国土交通省の資料によれば、築年数30年以上のマンションが増え続ける。築50年以上に限ってみても、２０１８年の６・３万戸から２０３８年には１９７・８万戸に急拡大する見通しだ。こうしてマンションの空き部屋は増えていく。

マンションに限らず空き家の増大は街の景観や治安を悪化させる大きな社会課題だが、人口減少に負けない思考法からすれば、少子高齢化に伴い住宅を求める層が減っていく状況下において、分譲マンションのように財産を「区分所有」すること自体が極めて危ういことだと言わざるを得ない。「区分所有」は若い世代へと各世代がうまく循環して初めて機能するのだ。

とりわけ深刻な影響を受けそうなのが、空き物件の増えたマンションに住み続けざるを得ない人たちである。

空き物件が増えるとどうなるか

マンションは建物自体は堅牢にできているが、それでも定期的なメンテナンスを施さなければ傷み(いた)が早くなる。立体駐車場、空調ダクト、排水管、エレベーターといった部分はもちろん、外壁の補修も破損が生じる前に実施しなければならない。

しかしながら、空き部屋が増えると、修繕積立金や管理費が計画通りに積み上がらなくなる。そうでなくても、マンション販売では価格を少しでも抑えるために、修繕積立金や管理費を低額で設定するケースが見られ、修繕が必要となった際に不足しがちだ。

空き部屋の所有者に請求しようにも持ち主不明では埒(らち)が明かない。居住し続けている住民に追加費用を求めようにも不公平感を払しょくできず、しかも年金暮らしの住民が増えるのでは、まとまった追加費用を負担できない人も出てくる。

こうした多くのジレンマを抱えて修繕を先延ばしすれば、むしろコストは嵩(かさ)み、資産価値はさらに落ちる。それ以前の問題として、暮らすのに危険となる。

こうした問題は、入居世帯が多いほど住民の合意形成に時間がかかるわけだが、当然ながらタワーマンションも例外でない。タワーマンションの場合、上層階などは投機目的で購入した機関投資家が所有しているケースもある。

しかもデザインに凝って独特の形状をしているものもある。こうした建物をメンテナンスするためには機械をオーダーメイドしなければならず、それだけで莫大な費用がかかるという試算もある。現在は築浅（ちくあさ）のタワーマンションが多いため問題にはなっていないが、数十年後には、現在のマンションとは比較できないほどの社会問題となるだろう。

メンテナンスまで考えるのであれば、所有者一人で何でも判断できる一戸建てのほうがマンションよりはるかに楽である。

すでにマンションを購入したという人は、それこそ全力で住民同士のコミュニティを構築することだ。是が非でも、所有者全員の資産であることを認識してもらい、資産価値が目減りすることがないよう、適時適切にメンテナンスを施すことを共通利益とすることである。自分の買ったマンションの部屋のことだけを考えていれば問題なかった時代は終わった。

4　人口減少社会に不可欠な「エンパシー」

日本にエリート教育は不可欠

本書は、さまざまな事例を具体的に取り上げ、人口減少に負けない思考法について解説してきた。取り上げたいケースはまだまだたくさん残っているが、紙幅に限りがあるので、最後のケーススタディーとして人口減少時代に必要な人材とその育成方法について考えたい。

教育が「国家百年の計」であることは、言うまでもないだろう。資源小国である日本は優秀な人材を輩出し続けられるかどうかが、国運を左右するといってもよい。毎年のように子供の数が減っていく状況下では、どのような人材を育成するかがなおさら重要となる。

現時点で人材不足が深刻化している分野があるからといって、場当たり的に手当てしていたのでは社会全体としての辻褄が合わなくなる。

最も分かりやすいのが医学分野だ。新型コロナウイルスの感染拡大により全国規模で医療崩壊が危惧され、医師や看護師はもとより検査技師や保健師の不足も指摘されたが、だからといって大学の医学関係学部の増員を図り、優秀な人材をどんどん送り込んだら、今度は他の分野の専門家が不足する。とりわけ、デジタル開発など社会基盤をつくる分野で層が薄くなれば国際的に出遅れる。経済発展に大きなブレーキがかかり、日本だけ取り残されることになりかねない。

人口減少に負けない思考法からすれば、子供の数が少なくなればなるほど、個々の適性や希望を踏まえて国を挙げてバックアップしていくという視点が重要である。もっと分かりやすい言葉を使うならば、エリート教育だ。日本の将来を背負って立つ優秀な人材を見出し、育成していくのである。

すでにスポーツの世界では、強化指定選手を選考するなど踏み出している。英才教育はスポーツに限らず、芸術や勉強においても求められる。国家として戦略的に才能を育む仕組みが必要なのだ。

一学年当たりの学生・生徒数が多かった時代は、大勢で競い合う中から才能のある人材が自然と出てきたものだ。しかしながら、若者の絶対数が減ったのではそれは期待ができない。ならば、意欲と能力を兼ね備えた若者に専門知識を深く学ぶ機会を意図的に用意するしかない。

戦後はことあるごとに「結果の平等」が重んじられてきた。国費で英才教育などをするといったら不公平だとの批判の声が上がるだろう。だが、人口が減っていくこれからの時代は、誰もが頑張れば機会を得られる「チャンスの平等」を重んじる社会に変えていかなければ、すべての分野で衰退しかねない。

もちろん、国費で英才教育を受けた人には、身に付けた能力や知識を日本社会に還元するよう求めるべきである。明治政府が西洋の技術を取り入れるべく、優秀な若者を国費留学させ、帰国後に後進の育成に努めたのと同じだ。一定期間は国家公務員などとして国家の仕事に就くことを義務付けてもよいと思う。

さらには、一定程度の基礎学力を身に付けた段階で、年齢にかかわらずどんどん進級できるようにすることだ。高齢化が進むほど、優秀な若者をどんどん登用して能力を発揮できる環境をつくっていかなければ、社会から活力が失われていく。

そうした意味では、専門知識を学ぶ大学も役割を大きく変えざるを得ない。第3章でも触れたが、多くの大学経営者は現行の組織維持のために学生数を確保しようと、短期大学を四年制大学に改組したり、受験生が関心を持つような学部名に変えたりと試行錯誤を繰り返している。だが、日本にとっては、大学数が多少減ったとしても、優秀な学生一人にかける教育費を手厚くし、より高度な能力を持つ人材を育てることのほうが重要だ。

人口減少社会においては〝名ばかり大学生〟は必要としない。それよりも、あらゆる分野で人手不足が広がっていくことを考えれば、若くして職人技を学び、そこで身に付けた技能が社会的ステータスとして高く評価され、相応の収入を得られるよう産業の仕組みを整えることだ。日常生活を支える技術者や職人が不足したら、社会は機能しなくなる。

他者との違いを許容する力

ただ、エリート教育によって日本を背負って立つような高度な専門家を育成したり、職人としての高いスキルを磨く教育を進めたりすることだけでは人口減少社会を乗り越えていくには不十分だ。最も大切な能力は、人口減少がもたらす激変への対応力、すなわち状況の変化に応じて柔軟に頭を切り替えていく「しなやかさ」である。

もう少し具体的に説明するならば、固定観念にとらわれぬ発想力、前提がどんどん変わって行っても臨機応変にこなしていく忍耐力、価値観の異なる人々を理解し、自分を理解してもらうコミュニケーション力などのことである。

高度な知識や技能と同時に、こうした「しなやかさ」を身に付けることではじめて人口減少社会に対峙できよう。人口減少時代のリーダーに強く求められる資質とは、他者との違いを許容し、多様性を受け入れていく能力なのだ。

むろん、頭の柔らかさは学校で教えてもらって身に付くような能力ではない。実生活の中のさまざまな体験を積み重ねることによってのみ育つ力だ。個々人が意識して養っていくしかない。

かねてより進学受験のためのテクニックを要領よく身に付ける勉強スタイルには疑問の声があったが、人口減少時代には知識を詰め込むだけの学習スタイルはいよいよ行き詰まるだろう。

受験熱の高まりをよそに、随分前から受験偏差値のピラミッドは社会に出てからの能力を表すモノサシや〝経済的に成功する保証書〟とはなっていない。社会が激変していくこれからの時代にあっては、なおさらだ。有名大学を卒業したという肩書だけでスイスイと世を渡っていくことなどできるはずがない幻想であることは、すでに多くの人が知っていることだ。

人口減少時代には教育内容や教え方も変えていかざるを得なくなる。そもそも知識の蓄積などというのはコンピューターのほうが得意だ。人間は物事の本質を大づかみに理解していればよいのであって、受験で問われるような仔細な知識はコンピューターでその都度調べれば十分である。それよりも、自分たちが置かれている状況を瞬時に察知し、あるいは埋もれている課題を掘り起こすための訓練をしたほうが何十倍も有益である。

例えば、グローバル社会となり、必要性が高まっている語学力だ。せっかく習得したとしても、ＡＩ（人工知能）は進歩しており、高性能な自動翻訳機が開発されれば同時に何か国語をも通訳可能となるだろう。人間の語学力の優位性はただちに失われる。

もちろん語学教育に意味がないと言っているわけではない。これからの語学教育に必要なことはＡ言語をＢ言語に置き換えることでも、外国人とコミュニケーションを図る技術を身に付けることでもない。大切なのは、コミュニケーションの先にある交渉力であり、交渉相手本人だけではなく、その交渉相手の背景にある「全体像」を把握する力だ。

交渉には一方的な勝利はない。ひとたび相手をやり込めてしまったのでは、その局面では得るものがあったとしても、二度目、三度目の折衝ができなくなってしまうからだ。

絶えず相手の立場を考え、状況や条件の変化に即座に反応しながらミッションを達成していかなければならない。こうした目先の損得勘定だけでは分からない、情緒的かつ機微に触れる大所高所からの判断は、ＡＩによる自動翻訳機ではできない。

こうした交渉力にも通じるところではあるが、私は人口減少がもたらす変化に対応するための「しなやかさ」を身に付けるには、エンパシー（empathy）と呼ばれる力が極めて重要になると考える。

エンパシーには日本語にピタリとはまる訳語がなく、聞きなれない言葉だが、シンパシー（sympathy）と似ている。ただその意味は少々異なっていて、シンパシーが「自分は違う立ち位置にいて、相手に同情する」ことを指すのに対し、エンパシーは「自分も相手の立場に立って、気持ちを分かち合う」ことを意味する。

例えば、穴に落ちて困っている人への対応をイメージすれば分かりやすい。落ちた人を穴の上から覗いて心配することがシンパシーだ。これに対して、自分も穴の中に降りていって、一緒に解決策を考えるのがエンパシーである。

自分と違う価値観や理念を持っている人が何を考えているかを想像する力とも言えるだろう。コミュニケーション能力の基礎である。

なぜ人口減少社会においてエンパシーが極めて重要になるのかと言えば、これから訪れる社会はいままでの日本とは全く異なるからだ。繰り返すが人口減少がもたらすこれからの激変は、すべての分野に例外なく起こる。そして誰も経験したことのない大きな変化となる。

過去の経験則や知識といったものは役に立たないのだから、各人がおのおのの立場を超えて理解し合い、新たな知恵を出さざるを得ない。

本書は地域の暮らしにおいて「助け合い」の必要性を繰り返し説いてきたが、世代を超えたコミュニティーを形成し、活かしていくためにはエンパシーによる相互理解は不可欠なのである。

例えば、21世紀の日本は超高齢社会が進んでいく。社人研の推計では２０６７年の１００歳以上人口は56万５０００人となり、その年の年間出生数54万６０００人を上回る。90代に限っても５８６万７０００人だ。

これだけ多くの90代、１００代が暮らす社会は世界のどこを探してもないだろう。予期せぬことがどんな形で起きてくるのか想像もつかない。

現状で言えることは、もしこれらの年代の人々の暮らしが成り立たなくなったならば、若い世代の社会的負担はさらに大きくなり、社会全体に少なからぬ影響が出てくるということだ。

90代、１００代の人々の暮らしを支えていくためには、まずはこうした年齢の人々がどのような環境に置かれているのかを知ることだ。どんなことに喜びを感じ、どんな悩みを抱いているのか、理解する必要がある。

いまやＡＩによって、視力の衰えた高齢者の視界がどれほどまでに狭まっているのかを簡単に映像化することができる。筋力の衰えでどれぐらいの歩行スピードとなるのか、あるいは握力が弱り、瓶の蓋はどれぐらいの硬さになったら開けられなくなるのかといったこともシミュレーションし、疑似体験することも可能だ。

違う立場の人々を理解するために積極的にアプローチをしないかぎり、真に必要な政策を講じることはできない。ニーズを把握してマーケットを掘り起こすこともできない。

ビジネスシーンで言うなら、働く世代の激減に伴って外国の人々とさまざまなチャンネルで交流する機会も増えるだろう。商習慣に始まり、文化や価値観も含めてお国柄の違いに戸惑い、摩擦が生じる場面も断然多くなるだろう。日本人同士でもテレワークや在宅勤務が普及するにつれて、直接会うよりも正確な情報のやり取りや意思の疎通が求められるようになってくる。

これまで以上に相手の立場になってものを考え、世代を超えた相互理解を図るべく積極的に努力しない限り、社会は円滑に回っていかなくなるということである。エンパシーとは、人口減少社会になくてはならない潤滑油なのである。

言うまでもなく、他人に寄り添う気持ちの強さは、誠実さや礼儀正しさなどと並ぶ日本人の代表的な国民性であり、美徳だ。そうした意味では、エンパシーが日本社会に定着しやすい素地はある。すでに身に付けているという人も少なくないことだろう。

ただ子供について考えるならば、エンパシーが自らの体験の中から学ぶものである以上、価値観が異なる人との交流や、異文化に接する体験はなるべく小さな頃から積んでおいたほうがよいが、一方で最近は少子化で学級数は減っており、クラス替えすらままならないという学校も増えてきている。今後は幼少期の教育の中において、高齢者との交流や外国人と一緒に行動したり、遊んだりする機会を意図して増やしていくことも考えなければならなくなるだろう。

多くの人がエンパシーを身に付け、相手を思いやることが当たり前の社会となったならば、日本の未来は大きく変わる。

むすびにかえて――自分の手で未来を変えよう

人口の未来はかなり先まで見通すことができる。その分、対策を講じる時間的な余裕があるということだ。

ところが、日本人はその大切な時間を浪費してきた。少子化も、高齢化も、働き手世代の減少も止まらない。「すでに手遅れだ」という声まで飛び出す状況となってきた。

人口をめぐる状況は悪化の一途をたどっており、それにつれて対策の選択肢も狭まってきた。残された選択肢の中から、一刻も早く手を打たなければ、日本は間違いなく貧しい国となる。

そんな状況下でのコロナ禍であった。まさに弱り目に祟(たた)り目だ。感染症への対応に追われることはもとより、東京一極集中の危うさや地方の医療体制の脆弱さ、行政のデジタル対応の遅れといった後回しにされてきた社会課題をいくつも炙(あぶ)り出した。

とはいえ、時代や社会を嘆いてみたところで、状況が好転するわけではない。「隗(かい)より始めよ」である。

コロナ禍が突き付けた課題の数々は、同時に「人口減少を前提とした社会へのつくり替え」にとっても必要な改革課題である。多くの人が問題意識を持ったこの機会を逃さず、一気呵成に改革を進めたならば人口減少社会の風景もまた変えることができるに違いない。

私は、日本が豊かさを維持するためには「戦略的に縮む」必要があると提唱してきたが、もし上手にこの国を縮めることができたならば、案外「住みやすい国」になるのではないかと期待している。

コロナ禍を経験して人々の価値観が変わり始めたからだ。富を集め、物質的な豊かさを求めて走り続けた時代は終焉の時を迎えつつある。代わって、家族と過ごす時間や「人間らしく生きる」ことを大切にする人が増えたならば、小さな国となることも悪くはない。

人口が減れば、必然的に助け合いが求められるようになる。人々が自分の「居場所」と「役割」を見つけ、生きる喜びを噛みしめられる社会を実現できたならば、「未来」は再び希望へと転じよう。そうなれば、いつの日か少子化にも歯止めがかかることだろう。

だからこそ、いま「未来を見る力」が必要なのである。重要なのはファクトの積み上げだ。「コロナ後」についていろいろな予測が登場しているが、希望的観測を述べているだけでは見誤る。

変化の予兆をさまざまなデータと照らし合わせて分析することで、初めて時代の先が読めてくる。ときにはイマジネーションを働かせなければならない場面も出てこよう。本書が繰り返し「人口減少に負けない思考法」を説明してきた理由はここにある。

「未来を見る力なんて、誰にも身に付くようなものではない」と思う人も少なくないだろう。だが、そう難しく捉えることはない。

ポイントを二つに絞るならば、一つは〝常識〟を疑うことだ。いままで〝常識〟と思い込んできたことが、普遍的で絶対のことなのか、そうとは言い切れないことなのかを考える癖をつけることである。

もう一つ、小さな変化を見つけ出し、その要因を少子高齢化や人口減少にあてはめて説明してみることだ。

こうした発想をトレーニングのように積み重ねているうちに、自ずと「人口減少に負けない思考法」が定着するだろう。

本書は具体例をふんだんに用いてきた。もっと多くの分野の事例を取り上げたかったところだが、紙幅には限りがあるのでご容赦願いたい。その代わり、個々のケーススタディーについては可能な限り分かりやすく説明したつもりだ。

読者の皆様のチャンスが広がり、日本社会の「豊かさ」の維持に少しでも役立つなら幸いである。

最後となったが、本書が陽の目を見ることができたのも、企画段階から献身的に伴走してくれたＰＨＰ研究所ＰＨＰ新書課の西村健編集長、編集面でアドバイスをいただいたオバタカズユキさんをはじめ、多くの皆様のご協力があったからだ。この場を借りて改めて深謝申し上げたい。

そして、私を支え続けてくれる家族と、癒しを与えてくれる愛猫に感謝を込めて本書を捧げる。

「未来を見る力」を手に入れる10の思考法

（1）少子高齢化・人口減少を前提として考える
人口減少が社会にどう影響しているのかという視点を持つ

（2）過去からの延長線上に「未来」を見ない
常識や成功体験を、一旦否定した上で考え直す

（3）人口減少の影響を自分のライフプランに書き込む
年齢によって関心事は変化する。いつ頃、どんな影響を受けるか考える

（4）外国人やＡＩといった〝不確定要素〟に頼り過ぎない
外国人や画期的な技術は思惑通りにならないこととして位置づける

（5）「戦略的に縮む」発想を持つ
捨てるものと残すものを選別し、残すと決めたものを活かす方策を探す

（6）人手不足は「国内マーケットの縮小」として捉える
働き手世代は消費の中心でもある。内需依存は行き詰まると認識する

（7）量的拡大路線と決別し、「質の向上」を優先する
薄利多売のビジネスモデルは破綻する。付加価値を高めることを考える

（8）人口の多寡で優劣を競う発想を捨てる
自治体同士の住民の争奪戦は不毛だ。小さくとも魅力的な街を目指す

（9）居住エリアと非居住エリアを区分する発想を持つ
地域ごとに集まり住み、生活に必要な機能を残すことを考える

（10）政府や自治体に安易に依存できないと覚悟する
自助自立を基本とし、住民同士が助け合う発想を持つ

PHP INTERFACE
https://www.php.co.jp/

河合雅司[かわい・まさし]

作家・ジャーナリスト、人口減少対策総合研究所理事長。1963年、名古屋市生まれ。中央大学卒業後、産経新聞社に入社し、論説委員などを歴任。高知大学客員教授、大正大学客員教授、産経新聞社客員論説委員、厚労省をはじめ政府の各有識者会議委員なども務める。「ファイザー医学記事賞」大賞ほか受賞多数。
主な著書に『未来の年表』『未来の年表2』『未来の地図帳』(以上、講談社現代新書)、『日本の少子化　百年の迷走』(新潮選書)などがある。

編集協力：オバタカズユキ
図表制作：矢田ゆき

未来を見る力
人口減少に負けない思考法
(PHP新書 1232)

二〇二〇年九月二十九日　第一版第一刷

著者――河合雅司
発行者――後藤淳一
発行所――株式会社PHP研究所
東京本部――〒135-8137 江東区豊洲5-6-52
第一制作部PHP新書課 ☎03-3520-9615(編集)
普及部 ☎03-3520-9630(販売)
京都本部――〒601-8411 京都市南区西九条北ノ内町11
組版――アイムデザイン株式会社
装幀者――芦澤泰偉+児崎雅淑
印刷所 製本所――図書印刷株式会社

ISBN978-4-569-84686-6

ＰＨＰ新書刊行にあたって

「繁栄を通じて平和と幸福を」(PEACE and HAPPINESS through PROSPERITY)の願いのもと、ＰＨＰ研究所が創設されて今年で五十周年を迎えます。その歩みは、日本人が先の戦争を乗り越え、並々ならぬ努力を続けて、今日の繁栄を築き上げてきた軌跡に重なります。

しかし、平和で豊かな生活を手にした現在、多くの日本人は、自分が何のために生きているのか、どのように生きていきたいのかを、見失いつつあるように思われます。そして、その間にも、日本国内や世界のみならず地球規模での大きな変化が日々生起し、解決すべき問題となって私たちのもとに押し寄せてきます。

このような時代に人生の確かな価値を見出し、生きる喜びに満ちあふれた社会を実現するために、いま何が求められているのでしょうか。それは、先達が培ってきた知恵を紡ぎ直すこと、その上で自分たち一人一人がおかれた現実と進むべき未来について丹念に考えていくこと以外にはありません。

その営みは、単なる知識に終わらない深い思索へ、そしてよく生きるための哲学への旅でもあります。弊所が創設五十周年を迎えましたのを機に、ＰＨＰ新書を創刊し、この新たな旅を読者と共に歩んでいきたいと思っています。多くの読者の共感と支援を心よりお願いいたします。

一九九六年十月

ＰＨＰ研究所